TROIS : L'ÉVASION

NAUFRAGÉS

GORDON KORMAN

TROIS : L'ÉVASION

NAUFRAGÉS

Texte français de Claude Cossette

Éditions
SCHOLASTIC

Catalogage avant publication de la Bibliothèque nationale du Canada

Korman, Gordon
[Escape. Français]
L'évasion / Gordon Korman ; texte français de Claude Cossette.

(Naufragés ; 3)
Traduction de: Escape.
Pour les 8-12 ans.
ISBN 0-439-97002-4

I. Cossette, Claude II. Titre. III. Titre: Escape. Français.
IV. Collection: Korman, Gordon. Naufragés ; 3.

PS8571.O78E8314 2003 jC813'.54 C2003-903670-7

Édition publiée par les Éditions Scholastic,
175 Hillmount Road, Markham (Ontario) L6C 1Z7.

5 4 3 2 1 Imprimé au Canada 03 04 05 06

Pour Nicholas Parcharidis Jr

3 SEPTEMBRE 1945
0835 h

La Seconde Guerre mondiale a pris fin le 2 septembre 1945, après que les États-Unis ont largué deux bombes atomiques sur des villes japonaises. Presque toute la planète a enduré six terribles années de combat et de destruction; c'est donc la fête un peu partout dans le monde. Des millions de soldats travaillent jour et nuit pour fermer les installations militaires et enfin retourner auprès de leur famille.

Dans une petite base du Corps aérien des forces américaines, située sur une minuscule île sans nom du Pacifique, vingt-six soldats se dépêchent de charger de l'équipement dans un avion de transport qui va les ramener chez eux. Leur présence en ces lieux a été si secrète que même le secrétaire à la défense n'en savait rien. Leur mission consistait à déployer une troisième bombe atomique — du nom de code Junior — une bombe de réserve qui serait lancée seulement si les deux premières ne réussissaient pas à mettre fin à la guerre.

Comme toujours, il fait une chaleur torride sur l'île tropicale. Mais aujourd'hui, la sueur sur les visages et les corps a une odeur bien particulière; elle sent le champagne. Les soldats ont célébré la fin de la guerre et les bouchons de liège ont sauté jusqu'aux petites heures du matin. La plupart des hommes ont un mal de tête carabiné parce qu'ils ont peu ou pas du tout dormi de la nuit.

Quand la lourde grue se coince, le sergent d'état-major Raymond Holliday est tellement contrarié qu'il frappe du poing sur les commandes.

— Maudit hydraulique!

Le mécanisme de levage fait des caprices depuis des mois, mais il est impossible d'obtenir des pièces au fin fond du Pacifique. On a dit à l'équipage de s'arranger.

À quelque trente centimètres au-dessus du sol se balance Junior, la troisième bombe. Holliday pousse encore une fois sur le levier. Rien.

Le caporal Connerly se hisse hors du trou en s'agrippant à la chaîne et pose les pieds sur la surface arrondie de la bombe. Il n'a pas peur que l'arme explose; il faudrait d'abord la munir d'une ogive.

— Kapout? demande-t-il au sergent.

Holliday gratte les piqûres de fourmi de feu qu'il a aux bras en pensant avec regret aux siens dans le Michigan :

— Cette fois, c'est pour de bon, répond-il.

Les deux hommes regardent la piste d'atterrissage quatre cents mètres plus loin. La bombe pèse plus de quatre mille kilos; alors, sans la grue, il est impossible de la mettre dans la soute de l'avion.

Ils restent là, sous le soleil de plomb, sans rien dire.

— On va être les derniers à rentrer de la guerre, déclare Connerly avec une conviction teintée de mélancolie. Et pourquoi? Pour pouponner un gigantesque pétard sur une île que même le plus grand explorateur pourrait pas trouver avec un télescope!

Le caporal se trompe sur deux points. Premièrement, il va retrouver sa famille en l'espace de quarante-huit heures. Deuxièmement, quelqu'un va trouver la minuscule île déserte.

Cinquante-six ans plus tard, six jeunes personnes, les survivants d'un naufrage meurtrier, ont échoué sur la rive sablonneuse.

CHAPITRE UN

Jour 16, 15 h 35

Luke Haggerty regarde d'un air interrogateur entre les feuilles de palmier.

— J'hallucine peut-être, dit-il, stupéfié, mais je pense que c'est un poulet.

La créature à plumes est perchée sur un arbre tombé. Plus petite qu'une poule de basse-cour, elle est d'un brun roux foncé, et non blanche et tachetée ou du type Rhode-Island rouge. Autrement, c'est un sosie; les mêmes pieds d'oiseau à quatre doigts, la même crête charnue et le même gésier. Elle se déplace avec des mouvements saccadés et picore d'un air absent, tout en gloussant doucement.

— C'est bien un poulet, confirme son compagnon Ian Sikorsky. Avant qu'on en fasse l'élevage pour les manger, il y a de ça des milliers d'années, tous les poulets étaient comme ça : la poule de jungle du Pacifique vivant en pleine brousse.

Luke lui lance un regard de travers.

— Tu me fais marcher.

— Non, c'est vrai, insiste Ian, c'était dans un documentaire que j'ai vu au canal Découverte. Ce poulet est un fossile vivant.

Luke fait un large sourire au jeune garçon. L'expérience lui a démontré qu'Ian n'a jamais tort quand il s'agit de quelque chose qu'il a vu à la télé. Luke sort de derrière l'arbre en retroussant ses manches trop longues. Comme leurs propres shorts et t-shirts étaient en lambeaux, les rescapés ont décidé de porter des tenues de corvée qu'ils ont trouvées dans les bâtiments abandonnés de l'armée, lesquels sont situés de l'autre côté de l'île. Les vêtements sont en parfait état, juste un peu délavés. Mais ils sont de taille adulte. Les nouveaux vêtements du petit Ian lui font comme une tente.

Ian attrape le tissu flottant de la chemise de Luke.

— Qu'est-ce que tu fais?

— On mange toujours du poisson et des bananes, réplique Luke. Si c'est un poulet, c'est un souper. Ça va être notre cadeau pour Will.

Will Greenfield est couché au camp car il a reçu une balle dans la cuisse. Selon leurs calculs, c'est à peu près son anniversaire aujourd'hui. Dernièrement, il n'y a pas eu grand chose à célébrer : il y a eu tellement de danger et de peur. Mais de la vraie viande — leur première depuis des semaines — serait un beau cadeau. Ça serait aussi le seul cadeau. Comme un des autres rescapés, J.J. Lane, le dit si bien : « Y'a pas un cocotier ici qui accepte la carte American Express. »

Luke approche de l'arbre par-derrière en marchant doucement dans l'enchevêtrement de lianes et de broussailles. L'oiseau glousse et picore; il ne semble se douter de rien. Puis, au moment même où le garçon s'élance brusquement, il s'envole en battant furieusement des ailes. Luke culbute douloureusement pardessus l'arbre et se ramasse par terre. Ian saisit la volaille, mais elle lui fouette le visage avec ses ailes, avant de s'envoler dans la forêt tropicale.

En hurlant, Luke se lance à sa poursuite, Ian sur ses talons. C'est une chasse maladroite. À intervalles de trois mètres environ, l'oiseau doit se poser. Ses pattes pompent alors comme des pistons miniatures avant qu'il s'envole de nouveau. Les garçons sont plus rapides, mais il y a la jungle : des branches et des feuilles de palmier leur fouettent le corps et le visage, tandis que des lianes au sol les font trébucher. Ian pointe du doigt.

— Il s'en va vers la plage!

Lyssa Greenfield passe une petite tasse d'eau et un comprimé à son frère, Will.

— Bon anniversaire! lance-t-elle d'un ton sec.

Will s'assoit sur son « lit d'hôpital », le radeau en bois qui a transporté quatre des rescapés jusqu'à l'île, il y a de ça plus de deux semaines.

— C'est mieux que ce que tu m'as donné l'année passée — des côtes brisées.

— T'avais fait fondre mes disquettes, lui rappelle-t-elle.

Will avale le comprimé et regarde sa sœur. Elle a l'air trop bouleversée pour être encore fâchée à propos d'une querelle qu'ils ont eue il y a un an.

— Qu'est-ce t'as, Lyss? Est-ce que c'était la dernière pilule?

Depuis qu'il a reçu une balle, Will prend des antibiotiques provenant de la trousse de premiers soins. Il est pas mal sûr que c'est ce qui a empêché l'infection. Mais il a toujours su que les comprimés ne dureraient pas indéfiniment.

— C'est un beau cadeau, hein? dit-elle en hochant la tête.

Will essaie d'avoir l'air optimiste.

— Ça fait plus mal du tout. C'est juste un peu engourdi.

Lyssa tente de dissimuler une grimace. Le patient regarde toujours ailleurs quand on change son pansement, mais Lyssa a vu la plaie — une enflure noire et bleue autour de la peau déchirée qui forme un trou béant. Si on ajoute une infection à ça...

Une infection. À la maison ou à l'hôpital, c'est une chose très simple. Mais ici, dans cette humidité étouffante chargée d'insectes et avec des soins médicaux à des centaines de kilomètres, ça équivaut à une peine de mort.

Son frère se met à genoux de peine et de misère, et essaie de transférer un peu de poids sur son côté malade. Il hausse les épaules :

— Avec un peu de chance, c'est déjà guéri.

Avec un peu de chance. La chance les a quittés il y a si longtemps que Lyssa ne peut même pas se rappeler comment on se sent quand on est chanceux. Ils ne sont pas seulement naufragés, mais abandonnés sur une île ne figurant sur aucune carte. Et puis, il y a les contrebandiers — des trafiquants meurtriers qui font le commerce de l'ivoire et de parties d'animaux qu'il est illégal de chasser. Ils sont partis pour le moment, ils se sont envolés à bord de leurs hydravions. Mais ils reviendront. La vieille base militaire est un endroit idéal pour la pratique de leur commerce illégal.

De toute façon, le mal est fait. La balle dans la jambe de Will provient d'un de leurs revolvers. Elle n'a pas été tirée intentionnellement car les contrebandiers ignorent qu'il y a quelqu'un d'autre sur l'île. Non, c'était une balle perdue. Dommage collatéral. Ça s'inscrit parfaitement dans la suite de malchances qui affligent les rescapés.

Elle grimace en dedans. Il y aussi cet autre petit détail : la bombe atomique. Bien sûr, elle est là depuis plus de cinquante ans; alors, elle ne va probablement pas leur exploser en plein visage. Mais si jamais les contrebandiers la trouvent...

Elle essaie de faire un sourire à Will, mais les coins de sa bouche refusent tout simplement de se relever. Pas étonnant. En toute honnêteté, Lyssa a l'impression qu'elle ne sourira plus jamais.

Soudain, un cri s'élève de la jungle :

— Le souper! Le souper!

Les Greenfield échangent un regard étonné. C'est la voix d'Ian. Qu'est-ce qu'il raconte?

Ils aperçoivent Luke et Ian qui arrivent sur la plage à toute allure en hurlant. Qu'est-ce que Luke dit?

— Attrape le poulet!

— Un poulet?

C'est alors que Lyssa repère l'oiseau; une petite poule brune famélique complètement paniquée qui sautille et bat des ailes en cherchant à sauver sa peau.

— Je l'ai!

Charla Swann traverse la plage à la course en prenant sa mire avec ses yeux perçants d'athlète. Elle plonge, les bras tendus, les mains prêtes. Mais la poule glousse bruyamment et réussit à lui échapper. Charla s'écrase face contre sable.

Le sixième rescapé, J.J. Lane, sort une branche d'un mètre du tas de bois.

— Y'a seulement une façon de frapper une balle papillon.

Il lève la branche au-dessus de son épaule et frappe... un coup de circuit? Non.

— Première prise! s'exclame-t-il.

— Ôte-toi de mon chemin! lance Luke en haletant.

Mais J.J. vise le poulet et frappe encore une fois.

— Deuxième prise!

Will s'aplatit sur le radeau :

— Hé! fais attention avec ça!

Mais c'est difficile d'arrêter J.J., une fois qu'il a choisi un plan d'action. Il part en flèche pour se mettre en position et entre en collision avec Luke; les deux se mettent à tituber. J.J. retrouve ses esprits, soulève son bâton et frappe son dernier coup :

— Troisi...

Paf!

J.J. lui-même est la personne la plus surprise sur la plage quand il touche sa proie. L'oiseau fait un vol plané de six mètres et atterrit sur le sable, raide mort. J.J. laisse tomber la branche, comme si soudain elle était électrisée.

Charla se tourne vers lui.

— J.J. Lane, comment est-ce que t'as pu faire ça à un pauvre petit oiseau?

— Et toi, pourquoi t'essayais aussi de l'attraper? rétorque J.J. avec brusquerie. Pour lui remettre un certificat-cadeau?

— Non, c'est bon! s'exclame Ian. C'est une poule de jungle du Pacifique...

— C'est le cadeau d'anniversaire de Will! ajoute Luke en jetant un regard furieux à J.J.

— C'était pas nécessaire de l'assommer! continue Charla qui est toujours en colère.

Le père de J.J. est la vedette de cinéma Jonathan Lane. Ayant été élevé dans une famille riche et puissante, J.J. tolère mal la critique.

— Il fallait que l'oiseau meure de toute façon, non? proteste-t-il. Qu'est-ce que ça change si je l'ai frappé à la Babe Ruth?

— Ça change quelque chose pour l'oiseau, insiste Charla.

— Plus maintenant, glousse J.J.

Luke détourne son attention de l'irritation que lui cause J.J.

— C'est de la viande, dit-il. Arrêtez de vous chamailler pour qu'on puisse manger.

Les rescapés ne tardent pas à apprendre qu'avoir de la viande est bien plus compliqué que de simplement ouvrir un paquet emballé avec une pellicule plastique provenant d'un supermarché. Il faut enlever la tête et les pieds de la poule et ouvrir la carcasse avec un couteau. C'est une tâche épouvantable. L'odeur du sang tiède dans l'humidité tropicale donne la nausée. Luke lutte de toutes ses forces pour ne pas vomir tandis qu'il vide l'animal avec un couteau. Lyssa se bouche le nez d'une main, et de l'autre, enterre les viscères dans le sable.

— Je pense pas que je vais pouvoir en manger maintenant, souffle Charla.

— Au point où on en est, grogne Luke.

Du coin de l'œil, il aperçoit J.J. qui s'éloigne nonchalamment.

— Où tu t'en vas comme ça? lui demande-t-il.

J.J. s'arrête.

— Je sais pas... peut-être voir ce qui se passe à l'autre bout de la plage.

Pour Luke, c'est la goutte qui fait déborder le vase. J.J. cherche toujours à échapper aux corvées. La petite peste hollywoodienne n'a probablement jamais fait de vrai travail de sa vie et certainement pas de sale boulot. Le personnel de papa s'occupait de tout ça.

Mais le célèbre Jonathan Lane n'est pas ici maintenant. Luke se lève.

— O.K., le malin. C'est toi qui vas plumer le poulet.

— Quand les poules vont avoir des dents, dit J.J. en riant. Si j'avais pas été là, vous seriez encore en train de chasser ce stupide oiseau sur la plage. Je suis le chasseur, vous êtes les employés de cuisine.

Luke le dévisage avec des yeux menaçants.

— Quoiqu'on fasse, toi, tu restes toujours là à faire des blagues. Ben aujourd'hui, tu vas te rendre utile, dit-il en lui tendant la carcasse sanglante.

— Si tu veux pas que je te le fasse avaler, le prévient J.J., flanque-moi pas ça en dessous du nez.

— Tu m'impressionnes pas! réplique Luke d'une voix rageuse. Pour toi, se battre est juste une autre façon de pas faire le travail!

— Toi et moi, dit J.J. sur un ton uniforme. On va régler ça ici, maintenant.

— Assez!

C'est un cri de Will qui immobilise tout le monde, comme des sujets sur une image fixe.

— Je veux pas de poulet! s'exclame Will avec amertume. Pas si c'est pour faire toute une scène! C'est ma fête, je suis perdu, j'ai une balle dans la jambe et je vais probablement pas avoir d'autre anniversaire! Alors, prenez votre poulet et lancez-le dans la mer. Les poissons vont le manger, eux!

J.J. arrache la carcasse des mains de Luke.

— Je vais aller le plumer, marmonne-t-il.

— Je peux t'aider, propose Ian.

— Laisse faire, répond J.J. Va regarder le canal Découverte.

CHAPITRE DEUX

Jour 16, 17 h 5

Du sang et des plumes. Beurk...

J.J. est rapidement couvert des deux. Il ne le pardonnera jamais aux autres!

C'est pas juste qu'ils se liguent contre lui. Ils sont jaloux, c'est évident. Ils sont des moins que rien, surtout Luke, un gars avec un dossier criminel. Il dit qu'il est innocent, que quelqu'un d'autre a mis le revolver dans son casier. Mais il ment probablement. Il est tellement prétentieux. Regardez comment il mène tout le monde; il se prend pour le chef des rescapés. Qui l'a élu roi?

Pas moi, c'est certain!

J.J. n'arrive pas à arracher une plume récalcitrante de la queue. Il prend ses deux mains et tire d'un coup sec. La plume se libère brusquement faisant gicler du sang dans son œil.

— Aïe!

Difficile à croire — non, impossible — qu'il y a à peine un mois, il était assis près de la piscine, en compagnie de Gwyneth Paltrow et Julia Roberts. Puis il y a eu l'erreur. Bon, quelques erreurs. Juste des trucs pour attirer l'attention de son père : une caisse de champagne à la danse de la huitième année, quelques CD dans un grand magasin, une balade sur la Harley de son père qui s'est terminée dans la vitrine d'une galerie d'art sur Rodeo Drive...

Ouais, il est probablement allé trop loin, cette fois-là. C'est ce qui lui a valu un billet pour *Changement de cap*, un voyage en bateau de quatre semaines pour jeunes en difficulté. Ils ont tous fait des choses stupides comme ça : Luke avec le revolver dans son casier; Charla qui a une obsession maladive, celle de devenir une championne d'athlétisme; Ian parce qu'il est un télézard; et Will et Lyssa parce qu'ils se font la guerre. C'est à cause de ces délits qu'on les a envoyés presque à l'autre bout du monde pour faire un voyage en bateau. Puis... il y a eu quelques pépins et ils se sont retrouvés ici.

Quelques pépins. Ouais...

J.J. croit qu'il n'y a pas eu de désastre. D'après lui, le naufrage du *Conquérant* et tout ce qui est arrivé depuis ont été planifiés avec soin par *Changement de cap*. C'est un bateau truqué, conçu pour « couler »; il est probablement en partie sous-marin. Il a depuis refait surface et se fait réparer en ce moment pour le prochain groupe d'andouilles. Luke et les autres disent que c'est impossible. Mais ils n'ont jamais vécu à Hollywood, où des génies des effets spéciaux créent l'impossible chaque jour.

Ils sont tellement crédules! N'est-ce pas toute une coïncidence que deux radeaux distincts à la dérive soient arrivés en plein sur la même île minuscule? Une île qui, par hasard, est un point de rencontre pour de dangereux contrebandiers? C'est une mise en scène. Le thème central de CDC, c'est apprendre à travailler en équipe et partir à l'aventure pour former son caractère. J.J. est convaincu que les « contrebandiers » sont des acteurs professionnels. La vieille base militaire est aussi fausse, comme si l'armée pouvait avoir tout simplement oublié une bombe atomique!

Personne ne court aucun danger. S'il y a un problème, CDC va mettre fin à la simulation et les renvoyer tous chez eux. Mais les autres insistent pour jouer les Robinson Crusoé — vivre de la terre, grimper aux arbres pour cueillir des noix de coco et des bananes. Et maintenant — quelle farce! — un poulet.

J.J. peut imaginer le capitaine Cascadden — qui s'est soi-disant noyé — et M. Radford — qui soi-disant a abandonné le bateau et les a envoyés à la mort. Il est certain que les deux hommes sont en train de regarder les rescapés au moyen de caméras cachées en se donnant des claques dans le dos et en riant parce que tout se déroule exactement comme prévu.

Bon, à peu près exactement comme prévu. Will qui a reçu une balle; c'est sûrement une erreur. Mais en fait, c'est une bonne nouvelle. À un moment donné, il faudra retirer la balle de la jambe de Will, ce qui veut dire que, d'un jour à l'autre, CDC va arrêter le jeu et emmener le pauvre garçon voir un médecin. Tout ce que les rescapés doivent faire, c'est attendre que ça finisse.

Du sang éclabousse la chemise de J.J. Il pivote pour faire face à la jungle. C'est probablement là que se trouvent les caméras cachées.

— Hé! Regardez! beugle-t-il. Le fils unique de Jonathan Lane plume un poulet! À chaque plume qu'il arrache, il devient une meilleure personne!

Les autres le fixent du regard, mais personne ne dit un mot. Ils pensent qu'il est fou. Mais J.J. n'est pas dupe. Quelque part — dans un bureau ou un avion ou un bateau de surveillance spécial — CDC observe tout ça et prend des notes. Il refuse de leur donner la satisfaction de penser qu'il s'est laissé jouer par toute cette mascarade! Il se lève.

— Hé! Haggerty.

Quand Luke se retourne, J.J. lui fait une passe à hauteur de poitrine avec l'oiseau plumé.

— Comment on va le faire cuire? demande Lyssa.

Tous les yeux se tournent immédiatement vers Ian qui recule d'un pas :

— Je connais rien à la cuisine, moi!

— T'as passé toute ta vie devant la télé, dit J.J. T'es jamais tombé sur un grand chef?

Luke démonte un des trois alambics que les rescapés utilisent pour distiller l'eau de mer afin de la rendre potable. À l'aide de deux bâtons, il tient la poule au-dessus du feu en la tournant comme le ferait la broche rotative d'un barbecue.

— Il se passe rien, observe Charla après quelques minutes à retenir sa respiration.

Alors, ils tentent de la faire cuire sur le feu de camp, qui est énorme parce qu'il a pour but de signaler leur présence sur l'île à tout avion ou bateau qui pourrait passer par là. Immédiatement, on entend un grésillement, et une délicieuse odeur de viande qui cuit se dégage. Une fraction de seconde plus tard, la moitié de l'oiseau est en flammes.

Lyssa essaie d'éteindre le feu avec un poncho en plastique, mais ça ne fait qu'aviver les flammes, qui vont bientôt lécher les bâtons que tient Luke. Inquiet, ce dernier regarde autour de lui.

— Vite! Prenez le poulet!

— Es-tu malade? s'exclame Charla. Il est en feu!

Lyssa prend la casserole d'eau fraîche provenant de l'alambic démonté. Luke dépose l'oiseau dedans et laisse tomber les bâtons en feu sur le sable. Avec un *plouf* et un *pchit*, le repas d'anniversaire de Will s'éteint.

Luke souffle sur ses mains.

— Merci, dit-il à Lyssa.

— Hé! on pourrait le faire bouillir? suggère Charla. On peut faire bouillir n'importe quoi, non?

Lyssa accroche la casserole par sa poignée arquée au-dessus du feu. Comme l'eau vient tout juste de bouillir, ça se met presque tout de suite à bouillonner.

— Combien de temps est-ce que ça prend à cuire? demande Will.

— C'est mieux de le faire cuire assez longtemps, conseille Charla. Y'a rien de plus dégueulasse que du poulet cru.

Ils laissent le repas d'anniversaire bouillir et vont vaquer à leurs occupations. La mission d'Ian : trouver du taro, un légume-racine s'apparentant à la pomme de terre, qui fera un bon plat d'accompagnement. Luke l'accompagne dans la jungle pour ramasser du bois. Comme les gros rondins sont rares et que les branches brûlent rapidement, alimenter le feu de camp qui est vorace constitue un travail à temps plein. Charla va les aider.

J.J. choisit d'aller se baigner pour faire partir le sang, la sueur et les plumes — le fruit de sa séance de plumage. Seule Lyssa reste au camp pour tenir compagnie à Will. Mais là aussi, il y a du travail à faire. Elle doit surveiller le feu de camp, ainsi que les deux plus petits feux brûlant sous les deux alambics en fonction. Elle en recueille des bols d'eau fraîche qu'elle verse dans leur baril. Ce dernier, comme la plupart de leurs commodités, provient du canot de sauvetage en caoutchouc du *Conquérant*. Lyssa et J.J. ont flotté à la dérive jusqu'à l'île sur cette embarcation gonflable. Sept jours perdus en mer. Le souvenir la fait encore frissonner. Mais ça a été une croisière luxueuse comparativement à ce que les quatre autres ont enduré en ballottant sur un minuscule morceau du *Conquérant* anéanti. Il était juste assez grand pour trois, ce qui fait qu'une quatrième personne devait se laisser pendre dans l'eau sur le côté. C'est incroyable qu'ils aient tous survécu, surtout son frère, un jeune de banlieue plutôt douillet.

Elle se rappelle brusquement que Will n'est pas encore sorti du bois. En fait, personne d'entre eux ne l'est s'ils ne parviennent pas à trouver une façon de quitter cette île.

En ce moment, le canot de sauvetage est placé un peu en retrait à la lisière de la jungle, où il sert d'aire pour dormir puisqu'il est couvert.

Lyssa remet le couvercle en liège du baril et arrache trois gros escargots du pare-soleil. Ils iront dans l'eau bouillante aussitôt que le poulet sera prêt.

Le poulet. Selon la position du soleil, plus d'une heure vient de s'écouler. Le repas d'anniversaire est sûrement prêt maintenant.

Elle s'empresse d'aller vérifier le chaudron.

— Oh, non! souffle-t-elle.

— Dis-moi pas que t'as brûlé mon poulet! s'écrie Will en se redressant sur le radeau.

— Non, parvient-elle à dire, pas brûlé.

Comment décrire ce qu'elle voit? Des morceaux de viande et de peau flottent un peu partout. Dans le fond du chaudron repose un petit tas d'os dénudés. Ils ont tellement cuit la pauvre petite poule que c'est tout ce qui en reste.

Avec grand soin, elle se met à retirer les morceaux de viande à la cuillère pour les déposer ensuite sur une assiette.

— Ils vont me tuer, lance-t-elle à Will.

— C'est moi qui vais te tuer, rétorque Will. Est-ce qu'il est raté?

— Pas tout à fait. Mais c'est pas un succès, non plus.

Elle est sur le point de vider l'eau quand soudain Will renifle l'air.

— Lyss, c'est peut-être du délire, mais... je pense que ça sent la soupe au poulet de grand-maman!

Lyssa aspire une bouffée, puis goûte à l'eau qu'elle allait jeter.

— C'est de la soupe! s'exclame-t-elle, stupéfaite. On a fait de la soupe au poulet!

En sautillant sur son derrière, Will parvient à se rendre près du feu. Sa sœur lui fait goûter à la soupe.

— Incroyable! s'écrie-t-il. On a même pas de papier de toilette, mais on est arrivés à faire une soupe au poulet maison! Les autres en croiront pas leurs yeux!

Tandis que Lyssa y goûte une autre fois, elle aperçoit son reflet sur le chaudron d'aluminium. La fille qui croyait ne plus jamais sourire a la bouche fendue jusqu'aux oreilles.

CHAPITRE TROIS

Jour 17, 14 h 15

Le lendemain, Will fait de la fièvre.

J.J. est le premier à remarquer la rougeur de son visage.

— Hé! On dirait que t'as mis du maquillage de vieille femme. Tes joues sont écarlates.

Pendant presque tout l'après-midi, Will demande si la température se rafraîchit. Si près de l'équateur, la température ne baisse jamais et l'humidité demeure en permanence à un niveau tel qu'on a toujours l'impression de prendre un sauna.

— C'est un coup de froid.

Tel est le diagnostic d'Ian.

Le thermomètre dans la trousse de premiers soins confirme que, oui, le patient a une température de 37,6 °C.

Will essaie de prendre ça à la légère.

— Impossible, plaisante-t-il. Personne peut tomber malade après avoir mangé la soupe au poulet de grand-maman.

Lyssa prend Luke et Ian à part.

— C'est pas une forte fièvre. Ça va aller, hein?

— Ça fait seulement un jour qu'il prend plus d'antibiotique, observe Ian sur un ton inquiet. S'il a déjà une infection, elle pourrait s'étendre très vite.

Si Lyssa cherchait à se faire rassurer, c'est raté. Elle leur demande de garder le secret.

— Je veux pas que Will s'inquiète. Il est tellement poule mouillée qu'il pourrait se rendre encore plus malade.

— Peut-être qu'il était comme ça dans son ancienne vie, remarque Luke, l'air songeur. Mais ton frère a subi beaucoup d'épreuves, ces derniers temps. C'est plus un peureux.

Mais Lyssa reste inflexible.

— J'aime mieux qu'on lui dise rien, du moins jusqu'à ce qu'on soit certains qu'y a un problème.

S'ils réussissent à tromper Will, ce n'est pas le cas pour Charla.

— Il faudrait qu'on retourne à la base militaire, insiste-t-elle à voix basse. Y'avait de l'alcool et des bandages, là. Peut-être qu'y a des pilules ou quelque chose du genre.

Il est décidé que Luke et Charla iront de l'autre côté de l'île pour faire une razzia dans le dispensaire.

C'est une excursion que les rescapés ne font pas très souvent, même si elle est de moins de cinq kilomètres. En effet, la végétation est si dense, les lianes et le sous-bois forment un tel enchevêtrement et les insectes sont si impitoyables que ce n'est pas une marche très plaisante. Même dans les meilleures conditions, ça prend une heure et demie. Mais ça peut facilement en prendre le double. Comme il n'y a aucun sentier, chaque parcours est différent; il faut grimper par-dessus des arbres récemment tombés, se faufiler à travers de nouvelles touffes de fougères, se pencher pour passer sous de nouvelles branches qui poussent plus bas.

Luke déteste traverser l'île, et ce n'est pas seulement à cause des piqûres d'insectes. Si les contrebandiers retournent à leur lieu de rencontre à la vieille base, il ne faut pas qu'ils y trouvent le moindre indice qu'il y a quelqu'un d'autre sur l'île. Le plus petit signe — une empreinte de pied à la mauvaise place, un bouton par terre — pourrait signaler à ces dangereux criminels la présence des rescapés. Luke les a déjà vus exécuter l'un des leurs sans scrupule. Ils n'hésiteraient pas à tuer six gamins pour protéger leur entreprise illégale.

La forêt tropicale est d'une telle monotonie que Luke et Charla doivent coller aux quelques repères qu'ils connaissent. Il y a d'abord le béton qui s'effrite. Il a déjà formé la piste de la base aérienne, mais maintenant, la jungle la recouvre. À partir de ce point, ils deviennent plus prudents parce qu'ils savent que la fosse de la bombe n'est pas loin. Luke a toujours cru que les engins nucléaires étaient entreposés dans des contenants de haute technologie. Mais à l'époque de la Seconde Guerre mondiale, les bombes atomiques avaient été gardées à l'air libre dans des trous peu profonds, tout comme celui-ci. Ian et le canal Découverte le confirment; ça a été le cas pour Fat Man et Little Boy, les deux bombes qui ont réellement servi. Junior, la troisième, a été si secrète que les livres d'histoire disent qu'elle n'a jamais été construite. Mais il est parfaitement logique que Junior soit logée de la même façon.

Luke et Charla deviennent plus silencieux en s'approchant. Évidemment, on ne peut pas faire exploser une bombe atomique en parlant trop fort. Mais l'horrible puissance de l'engin leur inspire tout de même un certain respect craintif, de même que la destruction terrible et la mort dont ses deux frères ont été à l'origine.

Ils échangent un regard entendu au moment où ils croisent une petite marque sur le tronc d'un palmier. C'est Luke qui l'a faite. Elle leur indique que le trou est là, caché dans ce qui a l'air de l'étendue continue du sol de la jungle. Il n'a pas osé faire de marque plus visible. Rien ne serait plus désastreux que si les contrebandiers trouvaient Junior. Ces hommes-là font de l'argent avec le sang d'animaux en voie de disparition. Ils n'hésiteraient pas une seconde à vendre une bombe atomique au plus offrant.

Charla l'exprime en des termes plus concrets.

— Ça me donne la chair de poule.

— Et à moi, donc, approuve Luke.

À partir de ce moment, la jungle devient si luxuriante qu'ils s'empêtrent plus qu'ils avancent. Ils se fraient un chemin entre les fougères et les lianes. Luke est toujours surpris de constater que le bâtiment demeure invisible jusqu'à ce qu'il soit presque assez près pour le toucher. La végétation est si dense et luxuriante qu'une feuille ici, une branche là obstruent chaque centimètre d'une hutte quonset de trois cents mètres.

Ils se glissent le long du métal ondulé pour se diriger vers l'arrière, où se trouvent deux plus petites huttes. Sur l'une d'elles, l'inscription est à peine visible : DISPENSAIRE.

La porte est sortie de ses gonds. Luke l'ouvre d'une poussée et ils pénètrent à l'intérieur.

CHAPITRE QUATRE

Jour 17, 16 h 35

Des mangoustans.

Will, assis sur son radeau, s'affaire avec un couteau à ouvrir une montagne du fruit qui a la grosseur d'une prune.

Mangoustan! Qui a inventé un mot pareil pour désigner de la nourriture? On dirait plutôt le nom d'un associé du cabinet d'avocats de son père : Berkowitz, Greenfield et Mangoustan.

Mais ils sont bons, ces fruits. Ils sont même délicieux. Mais ça n'a rien à voir. Six vies sont en danger. Il y a des choses importantes à faire pour assurer leur survie. Et qu'est-ce que Will fait comme travail? Une salade de mangoustans.

Juste parce qu'il a eu la malchance de recevoir une balle. Et maintenant, il fait 37,6 °C de fièvre et tout le monde le traite comme s'il était sur son lit de mort.

Il a déjà eu de plus fortes fièvres quand il souffrait d'un mauvais rhume.

Pendant un instant, son irritation fait place à une sorte de pressentiment. Sa cuisse ne lui fait pas vraiment mal et l'engourdissement a maintenant disparu. Alors, c'est bon signe, non? Mais il y a tout de même quelque chose de pas normal; une étrange pulsation rythmique, presque comme s'il avait un autre cœur là. Quelquefois, sa jambe semble tellement solide qu'il a l'impression qu'il pourrait se lever et se mettre à danser, mais l'instant d'après, elle est si faible qu'il n'est même pas certain qu'elle pourra le soutenir.

Voyons donc! Tout se passe dans son imagination. Et ce n'est pas étonnant, avec Lyssa qui passe son temps à se morfondre en le regardant comme s'il était en train de mourir. Il va parfaitement bien. Il pourrait donner un coup de main, contribuer! Pas couper un fruit dont le nom ressemble plus à celui d'un pédiatre.

Le Dr Mangoustan va vous recevoir maintenant...

Il balaie la plage du regard. Tout le monde est occupé. Même J.J. est en train de pêcher. Lyssa bricole avec la radio brisée du canot de sauvetage. S'ils réussissent à quitter cette île, Lyssa va probablement finir en héroïne. C'est toujours comme ça que ça se passe pour elle : Lyssa, la très jolie élève aux multiples talents, qui n'obtient que des A. Et son frère aîné, la limace maladroite criblée de taches de rousseur.

Il peut imaginer sa sœur en première page de tous les journaux. Et même à la télévision : « Lyssa, qu'est-ce que tu as ressenti quand tu as réussi à réparer la radio et à fabriquer une antenne à longue distance avec une banane pour appeler les marines à votre secours? »

Après une longue interview, la caméra se tournerait vers Will. « Toi aussi, tu étais du naufrage? Quel était ton travail sur l'île? »

Qu'est-ce qu'il leur répondrait? « Oh, je restais assis et je coupais des mangoustans. »

Le visage du reporter changerait de couleur : « Tu coupais quoi? »

C'est l'histoire de sa vie avec Lyssa. Will n'a jamais eu une chance de réussir. Quelle sorte de contribution peux-tu apporter quand tu es assis sur une plage à regarder dans le vide?

C'est alors qu'il aperçoit le point noir qui approche. Il est tout juste au-dessus de l'horizon et grossit de seconde en seconde.

Oubliant sa blessure, il se lève d'un bond pour s'écraser immédiatement sur le radeau.

— Un avion! beugle-t-il. Un avion!

À première vue, on dirait un tohu-bohu. Mais en réalité, c'est un exercice planifié avec soin, pour lequel ils se sont bien entraînés. Lyssa et J.J. laissent tout tomber et se précipitent pour aller remplir des chaudrons d'eau de mer. Ian court chercher la bâche dans la jungle; elle est faite de quatre ponchos de pluie cousus ensemble et remplis de feuilles mortes. Il la saisit et la traîne jusqu'au feu de camp.

Si on lance ces feuilles sur le feu et qu'on jette l'eau par-dessus, une colonne d'épaisse fumée grise montera dans le ciel à des centaines de mètres; ce sera un S.O.S. qu'on pourra apercevoir à des kilomètres à la ronde.

C'est un moment que les rescapés ont imaginé des douzaines de fois; leur chance d'être secourus.

30

Will ne s'est jamais senti aussi inutile. C'est sa vie qui est en jeu; en fait, leur vie à tous! Et il ne peut même pas marcher. Il se met à quatre pattes et rampe sur le sable jusqu'au feu de camp.

Il essaie silencieusement d'encourager les autres : *Manquez pas votre coup! Faites tout exactement comme il faut!*

Mais ils hésitent. Ils n'osent pas faire de signal avant d'être certains de savoir à qui ils l'envoient. S'ils font monter de la fumée vers le ciel et qu'il se trouve que l'avion transporte les contrebandiers, ces derniers sauront qu'il y a quelqu'un sur l'île. Et ça leur sera fatal.

Lyssa scrute le ciel avec les jumelles qui se trouvaient dans la trousse de survie. Will s'agrippe aux jambes de l'uniforme de sa sœur.

— Est-ce que tu peux le voir? Ce sont des sauveteurs?

Elle secoue la tête :

— Ils sont encore trop loin.

— Allons-y, insiste J.J. Qu'on en finisse, d'une façon ou d'une autre.

— Touche à rien! lance Lyssa sur un ton brusque. Peut-être que tu veux mourir, mais nous autres, on veut vivre vieux.

— C'est horrible, dit Ian. Si on pouvait savoir.

— Une minute, dit Lyssa en plissant les yeux dans les jumelles. Il vire, c'est bien un hydravion... Oh, mon Dieu!

— Quoi? glapit Ian.

— Ce sont les contrebandiers!

— Es-tu sûre? demande Will, d'une voix entrecoupée par l'émotion. Tous les avions se ressemblent!

Sa sœur secoue la tête.

— Un monomoteur avec une grosse soute en dessous. Ce sont eux, y'a pas de doute.

Ses paroles déclenchent toute une agitation. Si le dernier exercice avait été motivé par une anticipation pleine d'espoir, celui-ci, par contre, se fait dans la déception et la terreur. Les rescapés, même Will, se mettent à lancer du sable sur le feu de camp. Bientôt, les flammes sont étouffées et il ne reste rien, pas le moindre filet de fumée.

Will s'accroche à l'épaule de sa sœur et se met à sautiller vers le canot à l'abri sous les arbres. J.J. le talonne. Ian ferme la marche en effaçant leurs traces de pas dans le sable avec une branche bien feuillue.

Les quatre lèvent les yeux au ciel. À travers le couvert de la forêt tropicale, ils observent l'hydravion descendre sur l'île. Au moment où il passe au-dessus d'eux, une des portes s'ouvre soudainement. Un objet sombre en tombe et plonge dans la jungle.

Les rescapés se baissent subitement même si la chose n'est pas du tout près d'eux. Ils restent accroupis, rassemblant leur courage pour... quoi? Une explosion?

— Est-ce que c'était une bombe? siffle Will.

— Impossible, se moque Lyssa. Ils savent même pas qu'on est ici!

J.J. est le premier à se relever.

— On est des vraies cruches. Le gars mangeait probablement un Big Mac et a jeté le sac pour pas salir la base aérienne.

Tout à coup, Lyssa fige.

— La base! s'exclame-t-elle. C'est là que Luke et Charla sont allés!

— Qu'est-ce qu'ils font là-bas? demande Will en fronçant les sourcils.

— Ils cherchent des médicaments, répond-elle. Pour toi.

CHAPITRE CINQ

Jour 17, 17 h 35

Paf! Paf! Paf!

Luke frappe sur le cadenas rouillé avec une roche pointue. À chaque coup qu'il donne, un nuage de poussière et des toiles d'araignée tourbillonnent autour de lui, ce qui le fait tousser.

Le dispensaire est aménagé comme le bureau d'un médecin : un bureau et une chaise, une armoire et une table d'examen. On n'avait besoin de rien d'autre à l'époque, puisque cette petite base n'a jamais accueilli plus de trente personnes : un équipage, des pilotes, des techniciens et des officiers affectés à une seule tâche — lancer une bombe atomique sur sa cible.

Paf!

Dans une pluie de flocons de rouille, le cadenas se brise et tombe sur le sol, pour disparaître dans les mauvaises herbes et les planches pourries.

Luke ouvre l'armoire.

— C'est le gros lot.

Sur les tablettes, il y a des douzaines de bouteilles de médicaments. Charla en saisit quelques-unes et examine les étiquettes. Elle lève la tête, son visage est sans expression.

— Comment on fait pour savoir quel médicament peut aider Will?

Luke attrape l'oreiller posé sur la table d'examen, enlève la bourre et se met à jeter les bouteilles dans la taie.

— On va tout prendre, décide-t-il. Ça se peut que le canal Découverte ait fait un reportage sur les médicaments.

— D'accord, acquiesce Charla en l'aidant. Dépêchons-nous et partons vite. On veut pas être pris au cœur de la jungle dans le noir.

Luke lance une boîte d'abaisse-langue dans la taie. C'est stupide, il le sait bien. Will a une balle dans la jambe, personne ne va lui demander de faire « ah ». Il s'arrête devant un plateau d'instruments chirurgicaux.

Charla devine sa pensée :

— J'espère bien que non!

Mais ils prennent le plateau quand même. Ils prennent tout, même le journal du médecin avec sa tranche jaunie et déchirée.

— On sait jamais ce qui peut servir, explique Luke.

Charla hoche la tête d'un air mécontent. Elle ne s'oppose plus lorsqu'une phrase commence par : « On sait jamais... ».

Ils sont presque sortis quand les cris commencent — forts, furieux et trop près à leur goût. C'est si inattendu que, pendant une seconde ou deux, ils s'immobilisent en pleine vue.

Charla se ressaisit la première. Elle entraîne Luke dans le dispensaire et referme la porte brisée. Ils se laissent tomber à genoux et observent à travers la fenêtre striée de boue.

Les contrebandiers! Pendant que Luke et Charla travaillaient dans la hutte quonset, ils n'ont pas entendu le son de l'hydravion qui se posait. Et maintenant, ils sont pris au piège...

Le chef est un homme extrêmement gras portant un complet de soie vert pâle et un chapeau mou assorti. Il a été surnommé Gros Bonnet par J.J. Il est plus gros que jamais et dans une colère noire à propos de quelque chose.

— Je m'en fiche s'il avait cinq as dans sa manche. On se bat pas à coups de poing en plein vol!

— Je vais la trouver! Je vais la trouver! promet une voix râpeuse avec un accent britannique.

Dans un mouvement étonnamment gracieux, étant donné sa corpulence, Gros Bonnet pivote. En se retournant, il sort un gros pistolet de sa poche et frappe le visage de son pauvre associé.

Le bruit que fait le coup, le métal contre de la chair humaine, produit un son mat écœurant. Recroquevillés dans le dispensaire, Luke et Charla tressaillent.

La victime tombe par terre et un troisième homme se place rapidement entre elle et son patron. Mais Gros Bonnet n'a pas encore fini.

— Tu vas la trouver, poursuit-il, ou la prochaine chose que tu vas trouver, c'est une balle dans ta tête!

— Y'est trop tard, patron, soutient le troisième homme. Il va faire noir bientôt. Ça serait mieux de la chercher demain. Qu'est-ce qui peut lui arriver? Y'a personne d'autre que nous ici.

Dans l'obscurité du dispensaire, Luke et Charla échangent un regard angoissé. Ni l'un ni l'autre n'ose parler jusqu'à ce que les voix des trois hommes se soient éteintes.

— Où est-ce qu'ils sont? demande Charla d'une voix à peine audible.

— Probablement dans le bâtiment principal, chuchote Luke. Ou peut-être près de la plage pour prendre des choses dans l'avion. D'une façon ou d'une autre, on peut pas courir le risque de partir maintenant.

Elle hoche la tête :

— Mais quand?

Dans la lumière qui faiblit, elle sent plus qu'elle ne voit le haussement d'épaules de Luke.

La nuit tombe rapidement dans les tropiques. Comme la forêt est très dense, elle bloque même la lumière des étoiles; l'obscurité dans le dispensaire devient totale et suffocante. On se sent seul, se dit Luke. Même s'il sait que Charla est seulement à quelques centimètres de lui, il ne peut pas du tout la voir. Dans cette noirceur, ils ne réussiraient même pas à faire trois mètres dans la jungle.

Ils sont bloqués ici jusqu'au matin, bloqués ici ensemble, mais tout de même séparés par une absence complète de lumière.

Il sent la main de Charla se glisser dans la sienne. Ses doigts sont glacés.

CHAPITRE SIX

Jour 18, 5 h 50

La peur.

Charla n'arrive pas à y croire quand elle pense à certaines choses qu'auparavant elle associait à la peur. Comme les papillons dans son estomac, à l'occasion d'une course importante, quand elle s'accroupissait sur les blocs dans l'attente du coup de pistolet du starter.

De la tension, c'est certain. Le doute, toujours. Mais la peur?

Au cours des dernières semaines, elle a appris le vrai sens de la peur : perdre le capitaine en mer, pendre d'un minuscule radeau comme un appât de requin, se trouver devant la perspective de passer le reste de sa vie abandonnée sur une île. Et maintenant, se cacher, tapie dans le dispensaire où il fait noir comme dans un four, pour éviter une mort certaine.

Ça, c'est la peur.

Tout au long de cette nuit affreuse, elle refait le tour de ses vieilles angoisses : ce moment, en plein vol après s'être élancée de la poutre, ne sachant pas si elle allait tenir le coup et réussir sa réception.

Stressant? Tout à fait. Angoissant? Peut-être était-ce de la peur? Loin de là.

Même sa plus grande peur — la déception sur le visage de son père regardant le chronomètre : « Non, ce n'était vraiment pas un record personnel. » — la fait sourire dans le noir. En ces lieux, dans cette situation, qui se préoccupe de quelques centièmes de seconde?

Jusqu'à maintenant, toute sa vie a été axée sur l'entraînement et la recherche de la perfection athlétique. Et maintenant, ça semble aussi important que des cubes de glace dans l'Arctique...

— Charla... réveille-toi.

Agenouillé devant elle, Luke lui applique une main sur la bouche et de l'autre, la secoue par l'épaule. Elle jette un coup d'œil par la vitre barbouillée et craquée. Il fait encore noir, le jour pointe à peine dans le ciel.

— Sortons et cachons-nous dans la jungle, chuchote Luke. On va attendre là qu'il fasse clair avant de partir.

Ils investissent de précieuses secondes pour fermer la porte branlante, déterminés à ce que le dispensaire ait l'air d'être à l'abandon depuis des décennies. Puis ils rampent à travers des broussailles étroitement entrelacées en priant pour que le piaillement des oiseaux qui se réveillent couvre le bruissement de leurs mouvements.

Lorsque le soleil est levé, ils sont à bonne distance des huttes quonset. Ils trouvent le béton abîmé de l'ancienne piste sans trop de difficulté. À partir de ce point, ils sont en mesure de prendre la direction qui les mènera de leur propre côté de l'île.

Charla laisse échapper un soupir affligé.

— J'en reviens pas qu'ils soient revenus si vite. On a failli tomber face à face avec eux en sortant de la hutte!

— Je pensais qu'on aurait plus de temps, reconnaît Luke en soulevant la taie d'oreiller par-dessus son épaule. On dirait que notre feu est un vrai fiasco! On a même pas vu un avion ni un bateau, et encore moins des sauveteurs!

— Y'a personne qui nous cherche, lui rappelle Charla. On est morts, l'as-tu oublié?

C'est vrai. M. Radford, le second du *Conquérant* qui les a abandonnés, est de retour sur la terre ferme, sain et sauf. Les contrebandiers avaient laissé un journal racontant toute l'histoire; Radford disant au monde entier que les six jeunes dont il avait la responsabilité sont tous morts au cours du naufrage.

— C'est un homme brave, Rat-de-port, lance Luke sur un ton amer. Il a la même personnalité douce et chaleureuse que le gros bonhomme vert de l'hydravion.

— C'était affreux! s'exclame Charla en frissonnant. J'entends encore le son que ça a fait quand il a frappé le gars! Je me demande qu'est-ce qu'ils ont perdu.

— Ça doit être quelque chose d'important, dit Luke d'un air mécontent. Gros Bonnet menacerait pas de tuer quelqu'un juste pour lui faire peur. Il est vraiment prêt à le faire.

Ils marchent en silence pendant quelques instants en écoutant le bruissement des palmiers dans la brise légère. Luke lève le bras pour balayer un insecte sur sa joue, mais sa main se referme plutôt sur un petit morceau de papier.

Des déchets? Dans la jungle?

Il baisse les yeux et aperçoit Benjamin Franklin qui le regarde. C'est un billet de cent dollars! Sans dire un mot, il le montre à Charla.

— De l'argent! souffle-t-elle.

C'est alors qu'ils la voient, dans les broussailles, avec sa fermeture brisée : une valise noire. Elle est grande ouverte et il en sort de belles liasses de billets, tous des cent dollars.

— Oh, wow! grogne Luke. Maintenant on sait ce qu'ils ont perdu et pourquoi ils sont furieux.

Comme hypnotisée, Charla se laisse tomber à genoux et promène ses mains sur la pile d'argent.

— Dans mon quartier, murmure-t-elle, avec ça, on pourrait acheter... tout le quartier!

— Il doit bien y avoir un ou deux millions de dollars, au moins, fait Luke en hochant la tête. Ils vont partir à la recherche de la valise, aucun doute là-dessus.

Charla prend un air dévasté.

— Ouais, mais c'est comme chercher une aiguille dans une botte de foin! C'est un pur hasard qu'on l'ait trouvée! Il va falloir qu'ils fouillent la jungle, une fougère après l'autre. Ils vont tomber sur notre camp vingt fois avant de trouver la valise!

Luke s'accroupit à côté d'elle et commence à remplir la valise avec les paquets de billets.

— C'est pour ça qu'il faut les aider.

— Les aider? s'écrie Charla d'une voix stridente. On est morts si jamais ils découvrent qu'on est ici! Comment est-ce qu'on peut les aider?

— En nous arrangeant pour que la valise soit plus facile à trouver, explique Luke. On a qu'à la mettre quelque part où ils devraient pas la manquer.

— On peut pas l'appuyer contre la porte de la hutte, fait-elle remarquer. Ils vont trouver ça louche.

— Je suis pas si stupide, réplique Luke. On va juste la mettre plus près de leur camp et la laisser bien en vue. Plus vite ils la trouveront, plus vite ils arrêteront les recherches.

Au camp des rescapés, la consternation s'est installée à la tombée de la nuit et s'est changée en désespoir à mesure que les heures passaient.

Il y a deux faits. Un, les contrebandiers sont de retour; et deux, Luke et Charla se sont rendus aux installations militaires et n'en sont pas revenus.

Dans sa tête, Ian retourne l'information dans tous les sens, mais un seul mot persiste à remonter à la surface : *pris*. Les contrebandiers les ont attrapés, ce qui veut dire qu'ils sont probablement morts.

Il s'étouffe, tellement il a la gorge nouée. Ou peut-être qu'ils sont vivants et qu'on les interroge pour savoir qui ils sont et qui était avec eux.

Un sentiment de fierté l'envahit. Luke est fort, il ne parlera jamais! Mais le sentiment s'évanouit en une seconde, car il vient de se rappeler un documentaire à la télé sur les méthodes d'interrogation. Luke va parler. Tout le monde finit par parler, ce qui veut dire que les contrebandiers pourraient déjà être en route pour venir les chercher.

La nuit a été terrible. Ian est pas mal certain que personne n'a fermé l'œil de la nuit, sauf peut-être Will, dont la température est passée au-dessus de 38,3 °C et qui marmonne dans son sommeil tourmenté. Tout le monde est convaincu qu'ils doivent faire quelque chose, mais personne n'arrive à prendre de décision. Les rescapés n'ont pas de chef officiel, mais sans Luke, ils ne parviennent pas à s'entendre sur un plan d'action. Luke est le mortier qui les tient ensemble. Et on dirait maintenant qu'il ne reviendra jamais.

— C'est impossible que Luke soit mort, dit J.J. pour rassurer tout le monde. Il est trop méchant pour mourir. Et Charla... qui pourrait l'attraper?

Mais lui-même a l'air inquiet. Et il se cache avec les autres quand ils entendent un bruissement de feuilles. Accroupi dans les broussailles, Ian laisse son esprit s'affoler. Est-ce que les rescapés vont être découverts? Combien de temps peuvent-ils rester cachés? Est-ce que Will peut suivre?

Et tout à coup, une voix étonnée demande :

— Où est-ce qu'ils sont?

— Luke! s'écrie Will.

C'est intéressant, se dit Ian au cours de la célébration qui s'ensuit. Les choses ne vont pas bien, elles se détériorent. Mais la gloire des petits triomphes comme celui-ci — accueillir deux amis qui étaient à deux doigts de la mort — demeurera assurément l'un de ses souvenirs les plus mémorables. Entendons-nous, s'il vit assez longtemps pour avoir des souvenirs.

Lorsque les rescapés se racontent ce qui s'est passé au cours de la journée et de la nuit précédentes, ils en arrivent à reconstituer les événements. Pendant une bataille à coups de poing à propos d'une partie de poker, la porte de l'avion des contrebandiers s'est accidentellement ouverte et une valise remplie d'argent est tombée dans la jungle. Bientôt, un deuxième groupe de contrebandiers va apporter une cargaison de défenses d'éléphant, de cornes de rhinocéros et d'autres parties d'animaux qu'il est illégal de chasser. Ils sont les vendeurs et Gros Bonnet est le client. Il a besoin de l'argent égaré pour payer sa marchandise.

— Alors, on a laissé la valise où ils peuvent pas la manquer, conclut Charla. Elle est en pleine vue dans le seul endroit dégagé près de la base aérienne.

— Vous les avez aidés? s'exclame Lyssa, horrifiée.

— On *s'est* aidés, corrige Luke. La dernière chose qu'on veut, c'est qu'ils passent l'île au peigne fin.

Charla secoue la tête et dit d'une voix ébahie :

— Vous auriez dû voir ça. Y'avait des millions de dollars par terre. Je vous jure que ça m'a tenté de me rouler dedans.

— C'est de la fausse monnaie, se moque J.J.

Charla lui lance un regard plein de ressentiment.

— Même les pauvres savent à quoi ça ressemble, de l'argent.

— Alors, tu penses que CDC peut pas imprimer un paquet de faux billets qui ont l'air vrais? lance J.J. d'un air dégoûté.

— Tout le monde sait ce que tu penses, gronde Luke. Laisse-nous penser ce qu'on pense.

Plus tard, Luke, Lyssa et Ian examinent ce qu'il y a dans la taie d'oreiller et essaient de faire l'inventaire des provisions provenant du dispensaire.

Lyssa n'est pas convaincue.

— Est-ce qu'y a quelque chose là-dedans qui est encore bon après tout ce temps-là?

— Y'a aucun moyen de le savoir, réplique Ian. Je vois pas de pénicilline, et c'est ça qu'il nous faut. Le reste... ajoute-t-il en secouant la tête. J'ai aucune idée à quoi la plus grande partie peut servir.

— Ça, ça pourrait peut-être nous aider, dit Luke en fouillant dans la taie pour en sortir le journal du médecin. Peut-être que ça dit quelque chose sur les blessures par balle.

Toute la journée et la moitié de la nuit, Ian s'absorbe dans le journal vieux de cinquante-six ans du capitaine Hap Skelly, le médecin de la base. Il dévore les détails concernant les piqûres de fourmi de feu du sergent Holliday, la goutte du colonel Dupont et la grippe intestinale du lieutenant Basco; il cherche le moindre indice qui pourrait aider Will. Il saute aussi le dîner et le souper, et continue à lire à la lampe de poche quand la nuit tombe. Il le fait pour Will, bien sûr. Mais il y a aussi une autre raison.

Ian n'a pas regardé la télévision, ni navigué sur le Web, ni lu un seul mot pendant des semaines. L'angoisse et la peur ont été si terribles, qu'il ne lui est jamais venu à l'esprit à quel point il avait besoin d'information.

Sur la plage d'une minuscule île dans le vaste océan Pacifique, Ian redevient Ian.

CHAPITRE SEPT

Jour 19, 9 h 45

17 février 1945. Problèmes de ravitaillement. Où commander? Pour ce qui est de l'armée, on n'existe pas sur cette île minuscule. On ne peut même pas envoyer de lettres chez nous. La mission est très secrète. Nos familles doivent penser qu'on a disparu de la surface de la terre.

Plus de pénicilline depuis des semaines. J'utilise une infusion de melon amer, une plante indigène qui ressemble à un petit concombre qui souffre d'acné. Il semble contrôler l'infection de Holliday. Est-ce que je suis en train de me transformer en sorcier?

Will déteste l'idée dès le départ.

— C'est quoi une infusion?

— C'est comme faire du thé avec quelque chose, réplique Ian en lui tendant une tasse qui fume.

Le patient est consterné.

— Vous complotez dans mon dos! Je fais pas de mal à personne, moi, mais vous êtes allés cueillir des plantes bizarres dans la jungle pour m'empoisonner!

— La plupart des médicaments sont faits à partir de plantes tropicales, explique Ian. J'ai vu ça dans une émission sur la protection de la forêt tropicale.

— Le médecin de la Seconde Guerre mondiale a dit que c'était pas dangereux, ajoute Luke.

— Y'en est pas question. Je vais pas boire ça.

Mais il la boit, surtout parce que sa sœur a menacé de la lui faire boire de force. Il n'arrête pas de se plaindre ensuite. Il ne semble jamais manquer d'imagination pour décrire le goût de la tisane au melon amer : jus de mouffette, huile d'auto, déchet toxique, sueur bouillie et bave de sasquatch.

Les autres passent la journée à écouter ses descriptions pittoresques. Ça les amuse tellement qu'ils en oublient presque une réalité très sérieuse : la fièvre de Will continue à grimper.

— Ça marche pas, chuchote Lyssa, inquiète. Y'a pas autre chose qu'on peut lui donner? Un des médicaments du dispensaire, peut-être?

— Y'a une chose... commence Ian en hésitant. De la novocaïne.

— De la novocaïne? répète J.J. en riant. Qu'est-ce que tu vas faire... lui percer une dent?

Ian rougit.

— De nos jours, la novocaïne est surtout utilisée par les dentistes. Mais elle peut geler n'importe quelle partie du corps pour faire une opération.

— Tu parles d'opérer Will? s'exclame Lyssa soudain troublée en comprenant où le jeune garçon veut en venir. Lui faire une piqûre et essayer de l'ouvrir avec un couteau pour sortir la balle? Es-tu fou? lance-t-elle, furieuse. C'est juste une petite fièvre! Il est pas si malade que ça!

— Je suis d'accord, dit Ian. Mais s'il devient très malade, il va falloir enlever la balle.

— Dans un bel hôpital bien propre! continue Lyssa, dont la voix devient un peu stridente. Avec un médecin qui a pas appris son métier en regardant le canal Chirurgie!

— Personne va opérer qui que ce soit, intervient Luke pour tenter de l'apaiser. Ian nous donne juste nos options.

— Ben, c'est pas une option, insiste Lyssa. Jamais, jamais, jamais!

L'expression d'Ian lui indique clairement que *jamais* peut arriver plus tôt qu'elle ne le croit.

Le deuxième groupe de contrebandiers arrive le lendemain après-midi. Quand il aperçoit l'avion, Will s'étouffe en avalant une gorgée de tisane au melon amer.

Lyssa met les mains sur ses hanches.

— Voyons! Arrête de faire le bébé.

Will continue à tousser et à pointer du doigt.

— Un avion! s'écrie J.J.

Luke observe le ciel avec les jumelles.

— Hydravion bimoteur, annonce-t-il à voix basse. C'est bien eux.

L'espoir de Lyssa éclate devant ses yeux comme une bulle de savon. Pendant quelques secondes, cet avion a transporté des sauveteurs, et non une nouvelle série de problèmes. Mon Dieu, qu'est-ce qui va se passer si les secours n'arrivent jamais? Qu'est-ce qui va arriver à Will?

Surveiller son frère, c'est comme observer quelqu'un qui a une mauvaise grippe. Mais, alors que la grippe se développe, atteint un sommet, puis disparaît, le mal de son frère empire d'heure en heure.

Ce soir-là, la fièvre de Will dépasse 38,9 °C. Son visage est rouge, ses yeux, creux et il a l'air languissant et nébuleux.

Au milieu de la nuit, il réveille les rescapés en criant à pleins poumons. Quand Lyssa parvient à le sortir de son cauchemar, il est fâché contre elle.

— Arrête, Lyss. J'essaie de dormir. Je me sens pas très bien, tu sais.

La nuit suivante, il empêche tout le monde de dormir en riant sottement d'une voix aiguë, pendant des heures.

— Hé, marmonne J.J., le festival du rire est fini.

Mais les ricanements et les gros éclats de rire se poursuivent presque jusqu'à l'aube. À partir de ce moment, Will devient silencieux et sommeille toute la journée. À seize heures, la fièvre est montée jusqu'à 39,4 °C.

— C'est pas bon, hein? demande-t-il faiblement. Ça peut pas être bon.

— Tu brûles, admet Ian. On va t'emmener dans l'eau pour te rafraîchir.

Luke et Ian aident Will à entrer dans l'eau. Il est très faible, mais une fois dans l'océan, il a l'air mieux à cause de sa flottabilité naturelle qui le rend confortable dans l'eau. La douleur dans sa cuisse le fait grimacer.

— Sapristi, ça brûle!

— L'eau salée est bonne pour les infections, lui rappelle Ian.

Ils ont fait des compresses sur la plaie à chaque changement de pansement.

En criant et en se frappant la poitrine comme Tarzan, J.J. saute des hauts rochers au bout de l'anse et plonge dans les vagues en éclaboussant tout le monde

Tête de linotte, se dit Luke, dégoûté. *On essaie d'empêcher Will de cuire et tout ce que ça représente pour lui, c'est un party sur la plage.* Sans compter que c'est tout simplement idiot de faire du bruit pour rien quand les contrebandiers sont sur l'île. Bon, c'est vrai que J.J. croit que tout ça, c'est arrangé par CDC. Mais sûrement qu'au fond de lui, il y a une pointe de doute...

C'est devenu une habitude pour les rescapés d'entrer dans la mer avec tous leurs vêtements et de les laisser se laver sur eux. Ensuite, ils se déshabillent dans l'eau, lancent tout sur les rochers et vont nager. Le soleil tropical est si chaud que même les épais vêtements des G.I. sèchent presque instantanément.

Luke vient tout juste d'enlever sa chemise quand Will disparaît. La seconde avant, il ballottait comme un bouchon; et maintenant, il a coulé en laissant tout juste une ride à la surface.

CHAPITRE HUIT

Jour 22, 16 h 40

J.J. arrive le premier en tapant dans les vagues et en criant :

— Will!

Luke le saisit par le bras.

— Arrête! Je peux rien voir!

Il plonge la tête sous l'eau et se force à garder les yeux ouverts malgré le sel qui brûle.

Will est là, paisiblement recroquevillé, comme si l'envie lui avait pris soudain de dormir au fond de l'eau.

Luke l'attrape sous les bras et tire sa tête hors de l'eau. J.J. et Ian sont là pour l'aider à traîner leur ami, qui tousse et crache jusque sur la plage.

Les filles arrivent à la course, Charla en tête, Lyssa sur ses talons.

— Ça va! essaie de leur dire Will, qui se remet à suffoquer.

— Qu'est-ce qui s'est passé? demande Lyssa en haletant.

— Je sais pas, répond Will d'une voix rauque. J'étais en train de me baigner, et puis... Tout à coup, je suis ici, ajoute-t-il en haussant les épaules.

— T'as perdu connaissance, l'informe Luke.

— Mais je me sens mieux, insiste Will faiblement. Dans l'eau, c'était comme si je me réveillais pour la première fois de la journée.

Lyssa lui serre les mains.

— Je perds la tête, Lyss, confesse-t-il, l'air apeuré. Même moi, je peux le dire et je suis celui qui perd la raison.

Lyssa avale avec difficulté :

— Ian a eu une idée...

J.J. la regarde fixement.

— Cette idée-là! L'opération? Y'a quelques jours, tu l'as presque étranglé quand il en a parlé!

— Les choses allaient pas si mal à ce moment-là, répond-elle, les yeux pleins de larmes.

— Je suis toujours le dernier à savoir, se plaint Will. De quoi est-ce que vous parlez? Quelle opération?

Luke lui parle de l'idée qu'a eue Ian d'utiliser la novocaïne et des instruments chirurgicaux pour retirer la balle. Les yeux de Will s'arrondissent.

— Et j'irais mieux?

— C'est très risqué, bredouille Ian, mal à l'aise.

— Plus risqué que rien faire? reprend Will.

Sa voix est calme, mais la logique de ses mots résonne comme un coup de canon. Oui, s'ils manquent leur coup, Will va probablement mourir. Mais s'ils ne font rien...

— Un instant... intervient J.J. en les dévisageant à tour de rôle. Êtes-vous sérieux? Vous dites que je suis fou, quand vous, vous voulez ouvrir quelqu'un avec un couteau?

— Mais si on a pas le choix... commence Will.

— On a le choix de pas le faire! s'exclame J.J.

— Il faut aider Will, insiste Charla.

— Laisse-les pas faire! implore J.J. en s'adressant à Will. Ils vont te charcuter et quand CDC va arriver pour nous sauver, il va être trop tard!

— Je veux rien entendre, dit Lyssa avec mépris. Tu fiches absolument rien ici, J.J. Lane! On se fend en quatre et toi, tu fais comme si t'étais en vacances dans les tropiques! Et maintenant, tout à coup, tu te préoccupes du sort de Will? Hypocrite!

J.J. recule d'un pas, étonné et blessé. Tout à coup, il fait demi-tour et se met à courir sur la plage.

— Hé! s'exclame-t-il en regardant les arbres. Qui que vous soyez! C'est fini! Venez nous chercher!

— Arrête! s'exclame Luke en colère. Oublie pas qu'on est pas tout seuls sur l'île!

Mais J.J. supplie les caméras et les microphones qui, il en est certain, sont cachés un peu partout.

— Dépêchez-vous! Ils vont l'ouvrir! Ils vont l'ouvrir!

Charla se met à courir après lui.

— Arrête ça, J.J.! Y'a des meurtriers sur l'île!

J.J. se retourne, lui jette un regard furieux puis disparaît dans la jungle. Charla s'apprête à se lancer à sa poursuite.

— Laisse-le partir, ordonne Luke.

— Mais les contrebandiers... proteste-t-elle.

— Ils sont trop loin. Ils vont rien entendre.

Le groupe se disperse pour retourner au camp. Lyssa aide son frère à se réinstaller sur le radeau. La voix de J.J. leur parvient de la jungle.

— Capitaine! M. Radford! Qui que vous soyez!

— Il va revenir, hein? demande Lyssa, inquiète.

Luke hoche la tête d'un air absent :

— Il revient toujours. Écoutez, il faut qu'on parle. J'ai une idée. Et honnêtement, ça me fait vraiment peur.

Il prend une profonde inspiration :

— Mais si ça marche, y'a personne qui va être obligé d'opérer qui que ce soit.

Le silence s'abat. Luke a capté l'attention de tout le monde. Ian se penche en avant avec impatience.

Pendant que Luke expose son idée, une partie de lui-même reste en arrière, détachée, stupéfaite qu'il en soit venu à ça. Il y a cinq mois, il a fait confiance à un « ami » en lui dévoilant la combinaison de son casier. Une inspection au hasard... un pistolet de calibre trente-deux dans le sac à dos de Luke roulé en boule...

C'est pas à moi!

Si le directeur, la police ou le juge avait cru ces quatre mots si simples, tout aurait été différent. Luke Haggerty ne serait pas ici sur le point de suggérer l'impensable. Un plan qui n'est pas loin du suicide.

— Les contrebandiers laissent leur cargaison dans les hydravions, explique-t-il en s'efforçant de ne pas faire trembler sa voix. Il est impossible qu'ils me voient si je m'embarque clandestinement dans une des caisses. Le lendemain matin, ils vont s'envoler avec moi à bord, sans le savoir. Ensuite, tout ce que j'aurai à faire, c'est de m'éclipser à l'autre bout et d'aller voir la police.

— Tout ce que tu vas avoir à faire! s'écrie Charla, horrifiée. Luke, t'es un ado. Ils sont trois adultes armés. En plus, qui sait combien y'a de personnes qui attendent là-bas où l'avion va atterrir.

— Ouais, mais ils vont chercher la marchandise, pas moi, argumente Luke. Je vais sortir de la caisse en plein vol. Peut-être que je vais pouvoir rester caché jusqu'à ce que je puisse m'échapper.

— C'est un gros « peut-être », remarque Ian. T'es mort s'ils t'attrapent.

— Tu penses que je le sais pas? Mais regarde, ça fait presque un mois qu'on est sur l'île et on a même pas vu un canot passer par ici. Admets-le : les forces américaines avait choisi cet endroit-ci parce que c'est nulle part. Ça a pris plus de cinquante ans avant que quelqu'un d'autre échoue ici — les contrebandiers et nous. Veux-tu attendre les secours aussi longtemps?

Un silence sinistre s'installe. Luke sait qu'il les a presque convaincus.

— Je sais que c'est dangereux. Mais si on est prêts à opérer Will, il faudrait d'abord essayer ça. C'est exactement le même risque — une vie. Et si ça marche, on est sauvés. Quand je suis de retour dans le monde civilisé, je contacte la police ou la garde côtière ou quelqu'un d'autre.

— Comment est-ce qu'ils vont faire pour nous retrouver? demande Lyssa. Tu connais l'île, mais tu peux pas la reconnaître dans l'océan.

Ian prend la parole.

— J'ai des papiers de la base qui donnent la latitude et la longitude.

— Quand est-ce que t'embarquerais? demande Charla en fronçant les sourcils. On peut pas savoir quand les contrebandiers ont l'intention de partir.

— C'est notre plus gros problème, admet Luke. En fait, je comprends pas pourquoi ils sont pas partis y'a un ou deux jours. Combien de temps ça peut prendre pour échanger la cargaison contre l'argent et déguerpir? Pourquoi est-ce qu'ils restent?

Ian a l'air perplexe.

— Tu penses pas...

— La valise! s'exclame Charla qui a lu dans ses pensées. Ils ont pas encore trouvé la valise! Et ils vont pas partir sans elle!

— C'est impossible! proteste Luke. On l'a laissée bien en vue près de leur camp! On a tout fait sauf mettre une enseigne au néon dessus!

— La jungle est un endroit bizarre, dit Ian. Tes yeux te jouent des tours ici.

Will a l'air encore plus pâle que d'habitude.

— S'ils ont pas leur argent, ça veut dire qu'ils cherchent probablement toujours. On est chanceux qu'ils soient pas encore tombés sur notre camp.

— Il faut empêcher que ça arrive, dit Lyssa en serrant les dents. La première chose qu'on va faire demain, c'est la mettre quelque part de tellement évident que même un aveugle pourrait pas la manquer.

— Dans la jungle, ça existe pas des endroits pareils, objecte Luke d'un air pensif. Il faut le faire de la bonne façon cette fois; même si ça veut dire la faire avaler au gros lard!

CHAPITRE NEUF

Jour 22, 23 h 55

Luke ne dort que d'un œil au son de métronome grinçant que fait la respiration torturée de Will. Des mauvais rêves troublent son sommeil; il ne dort jamais beaucoup quand il y a du stress dans l'air.

C'est pas du stress, ça, se dit-il. *C'est la panique.*

Il reste étendu à regarder le pare-soleil qui recouvre leur abri. À l'extérieur, le petit feu projette une faible lueur à travers le tissu caoutchouté.

Les autres dorment et tout est silencieux, sauf... le craquement d'une branche qui semble résonner aussi fort qu'un coup de feu. Il se redresse vivement, l'esprit alerte. Il peut distinguer une silhouette sur le pare-soleil. Il y a quelqu'un!

Les contrebandiers! Son cerveau s'emballe, tandis qu'il se creuse les méninges pour trouver une façon de réveiller ses camarades sans alerter l'intrus.

Puis la tête se retourne. Quand elle est de profil, Luke aperçoit la ligne élégante des lunettes de soleil.

Il relaxe; J.J. est enfin de retour.

Seul un vrai idiot hollywoodien porterait des lunettes de soleil la nuit, sur une île déserte. J.J. adore ces stupides lunettes. Il ne les enlève à peu près jamais. Elles ont une monture unique et ont été fabriquées sur mesure pour le père de J.J. par Paul Smith, le designer de mode. Luke s'imagine le garçon avançant à tâtons, en pleine noirceur, dans la forêt tropicale et fonçant sur des arbres parce qu'il refuse d'enlever ces lunettes ridicules.

Luke se fraie un chemin entre ses compagnons endormis. Il remarque que le visage de Will brille tant il transpire. Encore des sueurs nocturnes. Et qui empirent.

Il écarte le rabat et sort.

— Hé! fait-il en guise de salut.

J.J. regarde fixement le feu, les bras autour des genoux. Il ne lève pas les yeux. Luke essaie encore une fois.

— Ça va?

— Ouais, répond une voix enrouée.

Luke peut deviner que J.J. n'est pas allé très loin. Quiconque passe des heures le soir dans la forêt tropicale en sort complètement dévoré par les moustiques. J.J. n'a que quelques piqûres. Il doit s'être réfugié à l'orée de la jungle à l'arrivée de la nuit. Il est ensuite demeuré caché, trop gêné ou trop têtu pour aller rejoindre le groupe.

J.J. relève ses lunettes. Dans la lueur du feu, Luke peut voir qu'il a pleuré.

— Est-ce que vous l'avez fait? Est-ce que vous l'avez ouvert?

Luke secoue la tête et lui fait part de son plan d'embarquement clandestin.

— Tout ce qu'on a à faire, c'est mettre la valise entre les mains des contrebandiers, conclut-il. On pourrait avoir besoin de ton aide, demain.

— Oublie ça, dit J.J. Quelqu'un doit rester ici pour accueillir CDC.

Pour la première fois, Luke n'éprouve aucune jalousie envers J.J. Quand il le regarde maintenant, tout ce qu'il voit, c'est un garçon s'accrochant à une théorie qui ne tient pas debout, parce que l'alternative est trop horrible. Parce que des choses terribles comme ça n'arrivent pas à l'enfant d'une vedette de cinéma.

— Tu sais que CDC viendra pas, dit Luke presque gentiment.

J.J. remet ses lunettes pour se couper de Luke.

Ils ont tous connu des problèmes, c'est pourquoi on les a envoyés ici, se dit Luke. Mais d'une étrange façon, J.J. est le grand champion du gâchis dans le groupe. Pour les autres, les problèmes qui les ont conduits à CDC sont devenus des forces qui les ont aidés à survivre. Oui, Ian est maniaque de la télé, mais les connaissances qu'il a acquises au canal Découverte leur ont sauvé la vie plusieurs fois. Même chose pour l'athlétisme obsessionnel de Charla. Will et Lyssa ont été envoyés sur le bateau parce qu'ils n'arrivent pas à s'entendre. Mais, dissimulée quelque part dans les querelles, il y a eu une loyauté entre eux qui s'est même renforcée depuis que Will a des problèmes de santé. Pour ce qui est de Luke, c'est de la confiance mal placée qui l'a expédié dans ces montagnes russes.

Mais cette attitude confiante a fait de lui la seule personne capable d'unir cette bande de rescapés et de les empêcher de perdre espoir.

Il reste J.J. Quel est son talent spécial?

Un bébé gâté, une tête de linotte, un exalté impulsif. Pas très impressionnant comme curriculum vitæ.

Comment est-ce que ça va aider les rescapés à affronter l'expérience la plus terrifiante de leur vie?

CHAPITRE DIX

Jour 23, 13 h 25

Charla grimpe rapidement dans le palmier étroit. Six mètres en-dessous, Luke, Lyssa et Ian tendent le cou en l'observant avec anxiété.

— Arrêtez de me regarder! leur lance-t-elle sur un ton ennuyé.

Mais ils continuent à la regarder monter avec aisance dans l'arbre. Est-ce qu'ils s'attendent à la voir tomber et se tuer? Quand est-ce qu'ils vont comprendre que, pour elle, c'est facile? Comparé à une sortie avec grand tour arrière, suivi d'un salto arrière tendu aux barres asymétriques, ça, c'est rien!

Elle continue à grimper le long du tronc lisse. L'arbre est haut — il fait quinze mètres, se dit-elle. Mais elle ne va pas se rendre au sommet. Là, elle serait perdue dans le couvert de la forêt tropicale, sans contact avec le sol. Quand elle arrive à environ dix mètres de hauteur, elle s'arrête et fait signe aux autres.

La vue n'est pas ce qu'on pourrait qualifier de panoramique; dans la jungle luxuriante, il y a beaucoup trop de végétation qui l'obstrue. Mais c'est le meilleur poste d'observation qu'ils vont trouver de ce côté de l'île. Elle ne peut pas voir la hutte quonset, bien sûr, parce que la vie végétale tout autour est trop dense. Mais elle pourra voir les contrebandiers quand ils vont venir poursuivre leurs recherches. Du moins, c'est ce qu'elle espère. Le signal de Charla va indiquer aux autres où laisser la valise. Il faut qu'elle soit très vigilante. Leur vie en dépend.

Une heure plus tôt, ils ont trouvé la valise exactement où Charla et Luke l'avaient laissée : au bord de la petite clairière.

— Comment est-ce qu'ils ont pu la manquer? a demandé Luke, incrédule.

De la clairière, c'est la chose la plus évidente au monde. Mais Charla peut voir comment, à quelques mètres dans la jungle, elle disparaît dans le tissage épais de la végétation.

L'attente commence. Maintenant, c'est aussi difficile qu'être une championne d'athlétisme. Rester accrochée dans un arbre est facile, mais rester pendant des heures, en sachant que si tu relâches ton attention...

Non, pense pas à ça.

Des heures. On dirait plutôt des mois. Dix mètres plus bas, elle peut voir les autres qui parlent ensemble. L'image lui fait éprouver un sentiment de solitude et d'indignation. *C'est stupide,* se dit-elle. *Qui d'autre pourrait faire ça?*

C'est incroyable qu'après toutes ces semaines, elle se méfie encore des autres à ce point. Est-ce qu'ils parlent dans son dos? Est-ce qu'ils parlent du fait qu'elle est une fille sans argent, dont le père occupe trois emplois pour arriver à financer son entraînement et qui s'est endetté pour payer CDC?

Elle secoue la tête pour chasser ces pensées. Ils savent tout ça. Mais qu'est-ce que ça peut leur faire? Ils ont leurs propres problèmes. S'il y a un bon côté à leur terrible situation, c'est bien celui-ci : le fait d'être des naufragés constitue tout un point égalisateur. Selon J.J., son père à lui fait treize millions de dollars par film, ce qui équivaut à vingt vies à travailler pour le père de Charla. Mais ici, ils sont tous les deux des naufragés. Et aucun n'est meilleur, plus riche, plus en sécurité ou plus confortable que l'autre.

Quand elle aperçoit le mouvement, il lui faut quelque temps pour l'identifier. À travers de minuscules trouées dans les feuilles et le long gazon, elle entrevoit des chemises de couleur, presque comme une lumière qui clignote.

Son étonnement est profond. Elle n'est pas surprise que les contrebandiers arrivent, mais seulement qu'ils soient déjà si près et qu'elle n'ait pas pu les voir avant. Elle essaie de donner le signal — le hululement de la chouette — mais elle respire trop fort et ne parvient pas à produire le son. Elle réfléchit rapidement, puis d'un coup de pied enlève une espadrille délabrée et la regarde tomber.

Après une chute de dix mètres, l'espadrille frappe l'épaule de Luke avec une telle force qu'il tombe à genoux. À ce moment, Charla est déjà en train de descendre de l'arbre avec précipitation. Elle saute le dernier mètre et enfile son soulier.

— Ils arrivent? murmure Luke.

— Ils sont ici! lui répond Charla dans un souffle.

Lyssa et Ian regardent autour désespérément.

Puis ils entendent le bruissement de jambes avançant lentement dans les lianes et les broussailles.

Bougez plus, dit Luke silencieusement. Mais l'ordre n'est pas nécessaire. La peur a transformé les rescapés en statues. Ils n'ont même pas le temps de se baisser pour se cacher dans les broussailles. Les hommes sont déjà là.

Charla réfléchit intensément. Qu'est-ce qu'ils devraient faire? Se battre? Courir? Elle regarde Luke, mais son visage n'exprime qu'horreur et indécision.

Une jambe habillée d'un blue-jeans sort brusquement d'une fougère à un mètre à peine. Elle sent un cri se former dans sa gorge. Elle ferme les yeux et fait une grimace pour l'étouffer. Quand elle les rouvre, il y a un visage juste là. À travers le grillage du feuillage des fougères, elle reconnaît ses cheveux roux. Cet homme est un assassin. Les rescapés l'ont vu abattre l'un de ses hommes de sang froid.

Et maintenant, il les a trouvés.

En est-elle certaine? Le regard droit devant lui, le Roux passe juste à côté d'eux et disparaît dans la jungle. Charla laisse échapper un léger gémissement et manque de s'étouffer. L'autre homme n'est qu'à un demi-pas derrière.

Elle le voit qui scrute tout autour avec ses yeux de fouine. Est-ce que lui, il les a vus?

Non, il regarde par terre... il cherche la valise. Elle retient son souffle quand il passe à côté.

Les rescapés demeurent immobiles et se regardent en soupirant de soulagement.

Lyssa est la première à prendre la parole. Sa voix est un chuchotement à peine audible.

— On est vraiment chanceux.

— Je me trouve pas si chanceux, grommelle Luke. Maintenant que ces gars-là nous ont dépassés, on va leur courir après toute la journée.

— Attendez ici!

Charla s'empare de la valise et part à la poursuite des contrebandiers. Il est impossible de courir dans la jungle; un jogging en levant haut les genoux est le mieux qu'elle puisse faire. Une liane au sol la fait trébucher, mais elle réussit à utiliser la valise comme bouclier quand elle entre en collision avec un arbre. *Attention*, se réprimande-t-elle. Puis elle reprend de la vitesse. Si elle se frappe et perd conscience ici, il n'y a que les serpents qui la trouveront.

En courant, elle établit son plan. C'est une manœuvre de débordement classique utilisée par les grands coureurs sur piste pour atteindre la voie intérieure. Elle se met à suivre un trajet parallèle aux contrebandiers et court jusqu'à ce qu'elle soit certaine de les avoir dépassés. Elle tourne alors à droite et s'arrête où elle évalue que leur chemin va les mener. Cachée dans les broussailles, elle attend, la valise dans ses bras tremblants.

Adieu, millions de dollars. J'en verrai plus jamais autant.

Un petit sourire se dessine sur ses lèvres. Toute sa vie, l'argent a été une préoccupation. Maintenant, elle a en main tout un magot dans le seul endroit où l'argent ne veut strictement rien dire!

De toute façon, je le prendrais pas, se dit-elle. *C'est de l'argent sale provenant du sang d'éléphants et de tigres en voie de disparition.*

Des craquements dans le sous-bois. Les contrebandiers arrivent déjà! Mais... où sont-ils? Elle regarde autour d'elle avec frénésie en cherchant un signal d'avertissement : des feuilles qui se balancent, des branches qui craquent, de la couleur derrière le feuillage. Rien, sauf...

Là, à cinq mètres à sa gauche, une touffe de fougères se balance. Elle s'est trompée. Et maintenant, il va falloir tout recommencer.

Je peux pas faire ça. Toute une journée à filer ces tueurs, à essayer de prévoir où ils vont aller...

Mue par l'instinct, elle saisit la valise et la projette de toutes ses forces dans le chemin des contrebandiers. Quand elle est en plein vol, elle se rend compte de l'erreur qu'elle vient de commettre. Si les hommes la voient atterrir, ils vont savoir que quelqu'un l'a lancée.

Un corps sort d'une fougère. Ça y est! Elle est prise!

Non! Le Roux regarde dans l'autre direction et il parle à son compagnon derrière lui.

La valise se pose avec un son sourd. De l'argent en sort et s'éparpille.

Regarde par là! Par là!

Mais il ne voit pas. Charla est abasourdie. Elle veut crier : *Là, idiot! En plein sous ton nez!*

Il y a tant de détails dans la jungle, l'œil est tellement sollicité que c'est possible de ne pas voir quelque chose.

Le Roux s'est remis à marcher. Dans une seconde, il l'aura dépassée. Pour Charla, c'est l'angoisse totale. Ils ne pourront jamais placer la valise aussi près.

Et puis...

— Oh!

Il se frappe l'orteil dessus, baisse le regard; il a sous les yeux deux millions de dollars.

— Je l'ai! Je l'ai!

Charla se réjouit en silence, tandis que les contrebandiers poussent des cris rauques.

— Maintenant, on peut partir d'ici! s'exclame le Roux.

En plein ce qu'elle voulait entendre. Elle suit les contrebandiers en se tenant à une distance sécuritaire et en ouvrant l'œil, à l'affût de tout indice qui lui indiquerait la direction du poste d'observation où Luke, Lyssa et Ian doivent l'attendre.

Soudain, il y a un glapissement, suivi du son de quelqu'un qui culbute dans les broussailles. Son estomac se serre. Ses amis!

Mais alors, elle entend la voix du Roux.

— Chelton? Ça va?

— Je suis tombé dans un trou! fait une voix étouffée. Un gros trou. Hé, y'a quelque chose ici!

Charla arrive quelques mètres derrière le Roux qui cherche l'autre homme à quatre pattes. Une entaille familière est sculptée dans le tronc d'un palmier, près de l'endroit où il est agenouillé. Un sentiment de terreur profonde la saisit.

Les contrebandiers ont trouvé la bombe.

3 SEPTEMBRE 1945
1240 h

Le colonel Dupont regarde fixement Junior, qui pend au bout de la grue en panne depuis plus de quatre heures.

— Et c'est la seule façon de la déplacer?

— On parle de 4 300 kilos, colonel, réplique Holliday.

Le lieutenant Bosco, officier aux communications, arrive en courant.

— L'état-major dit que la grue hydraulique la plus près est à Tinian. Ils peuvent nous la livrer dans trois jours.

— Dans trois jours!

Le colonel observe le soudain accès d'activité sur la piste. L'atmosphère est presque au carnaval; les hommes chargent l'avion, enchantés par la perspective de revoir femmes et familles.

S'il donne l'ordre d'attendre trois jours de plus, c'est une révolution qu'il aura sur les bras...

CHAPITRE ONZE

Jour 23, 17 h 50

J.J. a commencé la journée plein d'espoir. Mais son optimisme l'a quitté peu à peu.

Ses lunettes de soleil uniques sont toujours rivées au ciel sans nuage, qui s'obscurcit maintenant. Il attend l'avion qui n'arrive pas; *Changement de cap* qui doit venir chercher Will, et les autres aussi, s'ils sont chanceux.

Ça, c'est la seule faille dans son raisonnement : que CDC pourrait essayer de sauver Will, le plus malade, et laisser les autres purger leur sentence, celle qui leur permettra d'acquérir de la maturité, d'apprendre à travailler en équipe, de se forger le caractère...

Et toutes les autres choses que ces bourreaux professionnels pensent qu'on doit faire.

C'est pour cette raison qu'il colle à Will. Ce n'est pas très difficile. C'est à peine si Will a bougé de la journée. Il fait une forte fièvre et J.J. a l'impression que l'autre garçon n'est pas tout à fait présent. Oh, il sait quand il a faim ou quand il doit aller dans la jungle faire ses besoins. Mais une fois que J.J. l'aidait à marcher dans la forêt, Will a dit :

— Laisse-moi, Lyss! Je m'en vais à la toilette!

J.J. a été décontenancé :

— C'est pas Lyssa, c'est J.J.

— Ma jambe me fait mal, mais je suis pas aveugle, a marmonné Will, l'air indigné.

— Ils viennent nous chercher aujourd'hui, l'a rassuré J.J. Lâche pas et tout va bien aller.

Et qu'est-ce que Will a répondu sur un ton las?

— J'espère que papa va prendre le tunnel. Y'a beaucoup de circulation sur le pont.

Il y a deux mois, J.J. Lane se promenait sur le Sunset Boulevard, dans le siège passager de la Porsche de Leonardo DiCaprio. Maintenant, il est préposé à la toilette sur l'île de Gilligan.

Il s'en veut immédiatement de penser ainsi. Rien de tout ça n'est de la faute à Will.

J.J. scrute l'horizon. Où est CDC? Pourquoi est-ce que ça prend tant de temps?

L'attente est pénible, mais il passera le temps en imaginant les expressions sur le visage des autres quand ils vont revenir au campement et qu'ils vont voir un avion de sauvetage. Surtout Haggerty. Luke agit toujours comme s'il avait reçu une confirmation spéciale de Dieu l'assurant que tout ce qu'il fait est exactement la bonne chose.

Un jeune délinquant qui vient d'une minable ville industrielle et qui pense être mieux que moi! Si CDC vient, je vais lui casser les oreilles avec ça pendant tout le voyage de retour.

Si? Non, il veut dire *quand*. CDC va venir, aucun doute là-dessus. Ils devraient déjà être ici. Seulement...

Il jette un coup d'œil sur la montre *National Geographic Explorer* d'Ian (comment cette montre de pacotille peut encore fonctionner, quand la Rolex de J.J. l'a lâché est un des plus grands mystères de la planète).

18 h15. Bientôt il fera trop sombre pour atterrir.

Peut-être qu'ils vont venir demain.

Mais c'est maintenant que Will est malade! Ils doivent savoir qu'on se prépare à l'ouvrir avec un couteau?

Les gars de CDC sont stupides, mais pas au point de laisser une bande de jeunes opérer une vraie personne. Ce n'est pas seulement fou, c'est illégal. Ils pourraient tous aller en prison à cause de ça, non?

Ça n'a pas de sens. Le combat qu'il mène pour essayer de donner un sens à tout ça lui semble presque physique — comme une partie de lutte dans sa tête.

S'ils savaient, ils viendraient. Pourquoi est-ce qu'ils sont pas déjà ici?

Et finalement... la réponse : *Parce qu'ils le savent pas.*

J.J. ferme les yeux avec force, comme s'il pouvait arrêter les pleurs en les emprisonnant à l'intérieur. Mais ses larmes sont un torrent qu'il ne peut plus contrôler, pas plus que l'explosion de la vérité dans son cerveau.

— Arrête de pleurnicher, Lyss, marmonne Will, à moitié endormi sur le radeau.

Les autres ont raison depuis le début. *Changement de cap* est fini. Il a sauté comme une bombe et a coulé au fond du Pacifique avec le *Conquérant* et son pauvre capitaine. Tout ça — l'île, les contrebandiers, la bombe — est réel!

Personne ne les observe. Personne ne les protège. Ils sont laissés à eux-mêmes.

— Non, souffle-t-il.

Des semaines de désespoir et de peur se cristallisent dans un moment d'horreur totale.

— Non!

— Tais-toi, Lyss. Je t'ai pas frappée si fort que ça, murmure Will.

Le cœur de J.J. lui martèle la poitrine, telle une batteuse de pieux. Il faut qu'il aille quelque part, qu'il fasse quelque chose. Il faut qu'il bouge, agisse, sinon ce sentiment terrible va l'anéantir.

Des voix! Il sursaute parce qu'ils ne s'attendaient pas à ça. Les autres!

Lyssa remarque l'expression affligée de J.J.

— Est-ce que mon frère va bien?

— Il va bien, répond J.J. sur un ton absent. Tu sais ce que je veux dire… dans sa situation. Comment ça a été avec la valise?

— Il y a des bonnes et des mauvaises nouvelles, grogne Luke. On a réussi à leur donner la valise. Mais en cours de route, ils ont trouvé la bombe.

— C'est pas vrai! s'exclame J.J. Alors, qu'est-ce que ça veut dire?

— Impossible de le savoir, soutient Ian. On peut pas être certains qu'ils savent ce que c'est.

— Ils vont le trouver, dit Charla d'un air mécontent. On a été capables, nous.

— Des hommes comme ça... intervient Lyssa, l'air apeuré. Ils feraient n'importe quoi pour de l'argent. Est-ce que vous pouvez vous imaginer combien ça vaut, une bombe atomique?

— On va pas leur donner la chance de le savoir, déclare Luke. Ils ont leur argent. Ils vont partir demain. C'est ce soir que je m'embarque dans la soute.

Pendant un moment, ils sont traversés par un frisson puis, quand ils se rendent à l'évidence que c'est leur seule voie, la peur s'empare d'eux

Charla est la première à briser le silence.

— J'aimerais qu'il y ait une autre façon.

— Y'en a pas, dit Luke dont le visage s'assombrit. On a eu presque un mois pour réfléchir à la manière de quitter l'île. C'est le mieux qu'on puisse faire.

— Et il faut le faire maintenant si on veut aider Will, ajoute Lyssa.

Ian hoche lentement la tête. Tous les yeux se tournent vers J.J.

— Je suis d'accord, dit -il.

Luke est surpris.

— T'es d'accord?

Ils s'attendaient tous à ce qu'il leur mène la vie dure.

— Mais avec un changement au programme, continue J.J. C'est pas Haggerty qui y va. Ça devrait être moi.

— Toi? lance Luke en riant avec amertume. Je pensais que tu voulais rester sur la plage pour accueillir l'équipe de secours de CDC.

— Je m'étais trompé là-dessus, dit J.J. avec sérieux. Cette fois-ci, je me trompe pas.

Luke lui lance un regard furieux.

— Imbécile! C'est pas une affaire de sport extrême comme quand tu te vantes à tes amis d'Hollywood de toutes les bosses et les bleus que t'as récoltés en planche à neige! Ça pourrait être une mission suicide!

— C'est exactement pour ça que c'est moi qui dois y aller, objecte J.J. Écoute, je veux pas t'insulter, mais t'es un moins que rien. S'ils te surprennent dans la soute, ils vont te descendre sans hésiter.

— Et toi, ils vont pas te tuer parce que ton papa est célèbre? demande Luke, dégoûté.

— Pas célèbre, le corrige J.J., riche! Ils vont pas me tuer. Ils vont essayer d'obtenir une rançon de mon cher papa.

Il se force à sourire.

— Ça se peut même qu'il accepte de payer. Il doit se sentir pas mal coupable de m'avoir envoyé faire ce voyage.

— Écoute-toi parler! s'exclame Lyssa. Tout est une farce pour toi. Comment est-ce qu'on peut être sûrs que tu vas prendre ça au sérieux?

Luke est stupéfait.

— Une minute… tu veux dire que, pour toi, c'est une possibilité?

— Je pense que J.J. a raison, intervient Ian sur un ton pensif. Dans le *USA Today* que les contrebandiers avaient... l'article parlait pas de nous, mais surtout du fils de Jonathan Lane.

— La photo de J.J. était dans le journal, renchérit Charla. Si les contrebandiers l'attrapent, y'a une chance pour qu'ils le reconnaissent.

— À quoi ça sert s'il fait pas le boulot? explose Luke. On parle de sortir en se faufilant et d'aller chercher du secours! Ce gars-là va être dans un manège à Disneyland quand il se va se rappeler tout à coup : « Oups, j'ai oublié de parler de Luke, Charla, Lyssa, Will et Ian aux sauveteurs. »

J.J. ravale une réplique cinglante.

— Écoute, je te blâme pas si tu crois que je suis un peu écervelé...

— *Un peu* écervelé? s'emporte Luke. Si tu cherches écervelé dans le dictionnaire, tu vas trouver une photo de ta face de rat! Oublie pas à cause de qui le capitaine est mort!

— Et qui était avec moi quand c'est arrivé? rétorque J.J. avec brusquerie.

— Il fallait que quelqu'un t'arrête! rage Luke.

— T'as fait du beau travail!

On entend un bruissement, puis Will se retourne sur le radeau.

— Non, maman, marmonne-t-il. Je te dis qu'on se dispute pas.

Luke se croise les bras sur la poitrine.

— Pas question que je mette ma vie entre tes mains, dit-il en baissant la voix.

J.J. le regarde droit dans les yeux.

— Tu penses que je suis content que ce soit à moi d'y aller? J'ai passé quatorze ans à vivre comme un prince. C'est mon genre, la facilité. Rien me ferait plus plaisir que de poireauter ici pendant que tu risques ta peau. Mais il faut que ça marche, et je suis un atout imbattable.

CHAPITRE DOUZE

Jour 24, 1 h 25

Le faisceau de la lampe de poche éclaire faiblement la lagune où les deux hydravions sont échoués. L'arrière de l'avion bimoteur danse sur l'eau peu profonde. L'autre, le monomoteur, s'incruste lourdement dans le sable tant il est chargé.

— C'est celui-là, chuchote J.J. L'avion du gros lard.

Luke fait une grimace. Maintenant qu'ils y font face, le plan semble totalement démentiel.

Les adieux au camp ont été bouleversants. Charla, Lyssa et Ian ont pleuré ouvertement. Même Will, à la dérive entre la réalité et le délire, s'est laissé envahir par la détresse ambiante. Il est clair que les rescapés pensent qu'ils envoient un ami à la mort.

Si c'était pas si horrible, ce serait intéressant, se dit Luke. Si les six avaient fréquenté la même école, ils ne se seraient probablement même pas remarqués. Will et Lyssa, les deux seuls qui se connaissaient avant CDC, sont des ennemis de toujours. Mais les événements terribles et tragiques des dernières semaines ont tant soudé le groupe que le fait de lui amputer un membre — même J.J. — laisse une plaie douloureuse, béante.

Luke et J.J. s'éloignent des broussailles à pas de loup et descendent furtivement la pente de corail menant à la plage.

La soute est dans le bas-ventre de l'avion monomoteur. Luke descend le couvercle de trappe et ils éclairent l'intérieur avec la lampe de poche. Il y a trois grandes caisses en bois que les contrebandiers utilisent pour transporter les défenses d'éléphant. Des boîtes plus petites et carrées contiennent les cornes de rhinocéros. Il y a aussi deux contenants réfrigérés dont le ronronnement des batteries indique qu'ils fonctionnent. Ils renferment des organes vitaux et d'autres parties du corps récoltés chez des espèces en voie de disparition.

J.J. ouvre une des caisses d'ivoire. À l'intérieur se trouvent deux défenses enveloppées dans des couvertures moelleuses et mesurant chacune environ deux mètres.

— Pas de place, murmure Luke

Ils se dirigent vers la deuxième caisse. Les défenses sont plus courtes mais plus épaisses; il n'y a pas de place, là non plus. Ils se tournent vers la troisième boîte qui contient deux défenses d'un mètre, dont une est brisée.

— Ça va être serré, dit Luke.

— C'est une bonne chose que j'aie suivi une diète de bananes pendant un mois, déclare J.J. en haussant les épaules.

Il enjambe la caisse. Luke pose une main sur son épaule.

— C'est pas trop tard, tu sais. Je peux toujours le faire.

J.J. grimpe à l'intérieur et se couche. Il tire ses lunettes de soleil de la poche de sa tenue militaire et les pose sur son nez.

— De quoi j'ai l'air?

Luke ne parvient à formuler aucune réplique tant il a la gorge serrée. En vérité, J.J. a tout à fait l'air d'un cadavre dans une tombe. Finalement, Luke réussit à dire :

— Tu te rappelles les coordonnées de l'île, hein? Notre longitude et notre latitude?

— Mais oui, répond J.J. avec un grand sourire. D'abord, tu te rends à Hawai, puis tu prends à gauche...

— J.J....

Il ne peut jamais être sérieux, même dans un moment pareil.

— Je m'en souviens, assure J.J. Je vais être de retour bientôt, O.K.? Opérez pas Will.

Luke sent qu'il commence à perdre la tête.

— Pour l'amour de Dieu, sois prudent. Pense avant d'agir. Maintenant, y'a pas de reprise possible!

J.J. hoche la tête.

— Tu devrais t'en aller.

Il aide Luke à remettre le couvercle en place. Luke ferme la boîte. C'est la chose la plus difficile qui lui ait été donné de faire.

— Est-ce que tu peux respirer?

La voix de J.J. est étouffée.

— Si tu t'en sors et pas moi, dis à mon père que je suis désolé d'être resté immature si longtemps.

Tandis que Luke se dirige vers la jungle sur des jambes chancelantes, il se dit que J.J. n'a pas raison. Il en a acquis, de la maturité. Plus au cours des dernières heures qu'en quatorze ans.

Les deux avions décollent à six heures trente. Le bimoteur transportant le Roux et l'argent tourne vers l'est, vers le soleil levant. Le monomoteur avec, à son bord, Gros Bonnet, la cargaison et J.J., vire vers le sud-ouest en direction de l'Asie.

Accroupi dans un doigt de jungle qui s'étend au-dessus de la plage, Luke, les yeux troubles, suit l'avion de J.J. du regard jusqu'à ce qu'il ait disparu dans la brume au loin.

— Bonne chance, J.J., lance-t-il à voix haute.

Au camp des rescapés, toutes les activités cessent dès le tout premier bourdonnement des hélices. Le feu est étouffé, les alambics démontés d'un coup de pied et enterrés dans le sable, et le radeau sur lequel est étendu Will, poussé sous le couvert des arbres. Tous observent en silence l'avion qui transporte très loin leur ami et leur espoir.

— Maudite tondeuse, marmonne Will. On peut jamais dormir en paix ici.

Étonnamment, J.J. passe les heures qui précèdent le décollage à dormir; il en conclut qu'il est soit très cool ou très fatigué. Mais il ne se sent pas cool quand le moteur se met à gronder. Il saute presque au plafond et se frappe la tête contre le couvercle de la caisse. Le bruit est incroyable et la vibration lui déboîte les os. C'est comme être assis dans la première rangée, à un concert de Metallica (gracieuseté de papa), mais à la puissance mille.

Il sent le ballottement de l'avion tandis qu'il s'éloigne de la plage. Puis une accélération brève mais puissante, et c'est le décollage.

Ça se passe vraiment, se dit-il. Le train a quitté la gare et il est trop tard pour descendre. Sa vie a tellement changé qu'il se reconnaît à peine. C'est terrifiant, aucun doute là-dessus. Mais il se sent aussi plein de vie et fébrile. Quoiqu'il arrive, il est convaincu que c'est mieux que de pourrir sur l'île.

Il soulève délicatement le couvercle de la caisse et jette un coup d'œil tout autour. Il n'y a aucune fenêtre, mais comme un peu de lumière filtre par le joint de la porte, il peut examiner ce qui l'entoure. Il se glisse à l'extérieur de la boîte en se baissant pour ne pas se frapper la tête. C'est encore plus fort ici et il peut voir pourquoi. Le devant de la soute communique avec le compartiment-moteur. Il tente de grimper dedans, mais la chaleur du moteur qui gronde le fait reculer.

Quand ils vont venir décharger la cargaison, il ferait mieux de ne pas être ici…

CHAPITRE TREIZE

Jour 24, 15 h 20

J.J. n'a jamais pu endurer l'ennui. Dans son monde, beaucoup de personnes et d'argent ont été consacrés au divertissement de J.J. Lane. Mais même une semaine à la dérive sur un canot de sauvetage et presque un mois perdu sur une île ne l'ont pas préparé à ce voyage en avion.

C'est long — des heures et des heures, cloîtré dans une soute où il ne peut même pas se mettre debout. Pas de fenêtre pour regarder dehors. Et toujours, ce grondement incessant qui fait claquer des dents et empêche de penser.

Où est-ce qu'ils s'en vont? Sur Mars?

Où que ce soit, qu'on arrive, ça presse.

Puis il le sent, le début de la descente. Une panique folle s'empare de lui. Ils seront bientôt sur le sol. Qu'est-ce qui va se passer alors?

L'agitation dans sa tête menace de le déchirer, un combat de lutte entre une soif d'excitation et une voix sombre qui répète : *Tu vas peut-être mourir bientôt.*

L'atterrissage est doux, mais pour J.J., il est inattendu. Tandis qu'ils roulent lentement en cahotant sur la piste inégale, il révise en silence les détails de son plan. Ça va marcher. Il le faut. Sa vie en dépend — ainsi que celle de Will et des autres.

L'avion s'arrête et le moteur s'éteint. L'absence soudaine de bruit donne le vertige. J.J. a l'impression de tomber dans le vide.

Il entend des voix à l'extérieur et une porte qui claque. C'est maintenant qu'il doit agir.

En prenant une grande respiration, J.J. roule jusqu'à l'ouverture du compartiment-moteur, s'agrippe à une barre de métal et se hisse à l'intérieur. C'est encore douloureusement chaud mais supportable maintenant que le moteur est arrêté. Son coude effleure le bloc-moteur et une douleur aiguë lui fait retirer son bras d'un geste vif. La manche de sa chemise a été légèrement brûlée.

Il a un juron sur le bord des lèvres quand il entend quelqu'un tripoter la fermeture de la soute. En s'aidant de ses talons, il essaie de se faire tout petit.

La soute est maintenant inondée de lumière. Une à une, les caisses sont sorties par des hommes parlant une langue qui pourrait être à peu près n'importe quoi. Puis une voix avec un accent britannique se fait entendre :

— Ouais, on a eu la vie dure sur cette île! Demande-moi même pas pourquoi. J'ai passé mon temps à me faire piquer par des moustiques.

J.J. se recroqueville dans l'ombre, osant à peine respirer. Puis c'est fini. L'avion est déchargé, les voix s'éloignent.

Un grand sentiment de soulagement et de triomphe l'envahit. Il a réussi! Maintenant, tout ce qu'il doit faire c'est d'attendre jusqu'à ce que les hommes retournent chez eux. Ensuite, il pourra sortir en se faufilant et trouver un policier.

Soudain, sans prévenir, le moteur redémarre. Un souffle d'air chaud frappe J.J. en plein visage et il lâche la barre. Il tombe comme une roche sur le plancher de la soute vide.

Frénétiquement, il regarde à l'extérieur par le panneau ouvert. L'avion vire pour aller se stationner dans un grand hangar. C'est comme être exposé sur un plateau de desserts pivotant au souper. Il n'y a nulle part où se cacher.

L'élément de surprise est sa seule arme. Il faut qu'il l'utilise.

Il se précipite à quatre pattes sur le bord de la soute et se prépare à sauter.

Vas-y! se dit-il. *Attends pas qu'ils te voient!*

Quand il tombe sur le plancher du hangar, il court déjà. Tout d'abord, il se dirige vers une pile de pneus pour se cacher. Mais des cris lui font savoir qu'il a été repéré. Il change de direction et s'élance vers les portes du hangar en criant :

— Police! Police!

Le cœur sur le point de flancher, J.J. regarde tout autour. Une jungle luxuriante borde la piste unique; ce n'est pas un aéroport achalandé, mais une piste d'atterrissage privée. Autrement dit, il n'y a pas de police dans les environs, seulement des ennemis. Il est seul et en forte minorité.

J.J. est rapide, et l'intensité du moment augmente sa vitesse. Il ne se demande pas où il est, ni où il pourrait aller. Toute sa concentration est axée sur la fuite.

La jeep sort de nulle part et vient bloquer l'entrée pour empêcher J.J. de sortir. Il essaie de mettre les freins, mais il court trop vite. Son genou frappe le métal et il rebondit en arrière en cherchant désespérément une voie libre.

Là! À gauche!

Mais au moment où il évite la jeep, un bras costaud l'attrape par le cou.

La course est terminée.

Le jour même où J.J. s'envole à bord de l'avion des contrebandiers, Will Greenfield ne se réveille pas.

Lyssa est affolée. Elle passe toute la journée à essayer de sortir son frère de sa stupeur. Elle utilise tout, du thé au melon amer versé entre ses lèvres à des casseroles d'eau de mer lancées sur son visage. Elle le gifle, le pince et le secoue, en vain.

— Est-ce qu'il est dans le coma? demande-t-elle avec appréhension.

Ian a l'air perplexe. Il défait le pansement sur la jambe de Will et le retire. La plaie est écarlate, avec des lignes menaçantes d'un rouge moins appuyé qui émanent du centre, comme une échappée de soleil. La peau autour est chaude au toucher.

— Il a besoin d'un médecin, dit Ian.

Il ne fait qu'énoncer un fait que chacun connaît depuis quelque temps déjà.

On entend presque un déclic au moment où les rescapés font le même lien : un médecin, des secours, J.J.

— Maintenant, J.J. doit être arrivé où il s'en allait, déclare Luke. On va savoir dans un jour ou deux si Will va pouvoir voir un médecin.

— Qu'est-ce qu'on fait si personne vient? demande Charla.

Luke prend une grande respiration.

— Alors on saura que J.J. ... qu'il a pas réussi.

— Si ça arrive, il va falloir opérer, dit Ian. Ça va être la seule chance pour Will.

Le visage de Luke devient gris.

— Avant de partir, J.J. m'a fait promettre qu'on le ferait pas.

— Choisissons une date limite, suggère Lyssa bravement. S'il s'est rien passé à ce moment-là, on devra en conclure que J.J. ... viendra pas. Et on fera de notre mieux pour enlever la balle.

— J'attendrais pas trop longtemps, conseille Ian, l'air inquiet.

Luke réfléchit.

— Donnons quelques heures à J.J. pour qu'il s'évade et trouve de l'aide. Ensuite, il va falloir qu'ils rassemblent une équipe de sauvetage et reviennent ici pour nous trouver.

Il fait un calcul rapide :

— Pas demain, mais après-demain.

Il regarde les visages autour de lui. Tous hochent la tête en signe d'approbation.

Sur son morceau du *Conquérant*, Will continue à dormir paisiblement.

CHAPITRE QUATORZE

Jour 24, 17 h 50

Sur l'île de Taïwan, à l'extérieur de la Chine continentale, une petite piste d'atterrissage privée est la destination finale pour la cargaison illégale de parties d'animaux des contrebandiers.

Dans un débarras vide à l'arrière du hangar, J.J. se retrouve sur une chaise de bridge branlante, en face de nul autre que Gros Bonnet en personne.

Le gros homme n'a ni le temps ni le désir d'être agréable.

— Qu'est-ce que tu faisais sur l'île?

— Mon bateau a coulé, réplique J.J. avec sérieux.

Gros Bonnet s'avance et, de sa main ouverte, assène un coup sur la bouche de J.J.

— La vérité, tout de suite.

— C'est vrai! s'écrie J.J. en goûtant le sang de sa lèvre fendue. J'étais naufragé! J'ai seulement embarqué avec vous en cachette pour partir de là.

L'homme à l'accent britannique fait un pas en avant.

— Patron, vous pensez pas qu'il pourrait avoir été un des enfants du bateau qui a coulé?

— Ça fait un mois de ça, répond le gros homme dont le complet vert est tout souillé. C'est impossible qu'un des enfants ait pu survivre si longtemps.

— C'est étonnant tout ce qu'on peut apprendre au canal Découverte, lance J.J.

Une autre claque. Celle-là lui fait vraiment mal.

— Qu'est-ce que je peux faire pour que vous me croyiez? s'exclame J.J. On est partis de Guam sur le *Conquérant* le 11 juillet! Le capitaine Cascadden était le skippeur et le second s'appelait Radford. Le *Conquérant* a coulé. J'ai passé une semaine dans le canot de sauvetage, et depuis ce temps-là, je mangeais des bananes et je me protégeais des lézards.

Gros Bonnet se met à réfléchir. Ses yeux de cochon deviennent encore plus petits.

— Et les autres survivants?

J.J. secoue la tête.

— J'ai été le seul à m'en sortir. Tous les autres ont coulé avec le bateau.

Le gros homme fait un signe de tête à l'homme à l'accent britannique :

— Naslund.

Naslund saisit le bras de J.J., le met derrière son dos de force et le tire vers le haut.

J.J. suffoque. La douleur est insoutenable. Il a eu sa part de coupures et de bleus dans sa vie, mais ça, c'est différent. Cette douleur est produite par un professionnel qui sait exactement quoi tordre et avec quelle force.

C'est froid et méthodique, comme un pion qu'on déplace sur un échiquier.

— Allez, mon gars, le presse Naslund. Je veux pas te casser le bras. Dis-nous juste qui d'autre était sur l'île avec toi.

J.J. lutte pour essayer de raisonner malgré la douleur. C'est quelque chose que les rescapés n'ont jamais envisagé en faisant leur plan. Ils ont toujours su que J.J. serait en danger s'il se faisait attraper, mais ils n'avaient pas imaginé un tel scénario : qu'il pourrait trahir les autres et que les contrebandiers retourneraient dans l'île pour les tuer tous.

— J'étais tout seul! grogne J.J.

Un mouvement rapide de torsion et l'agonie double.

— Vous me cassez le bras!

— Qui était avec toi sur l'île? insiste Gros Bonnet.

J.J. pense aux autres. À cet instant, il ne fait aucun doute que ses amis valent un bras cassé.

— Personne! souffle-t-il.

Une autre torsion. La secousse fait monter l'intensité de la douleur à un degré qu'il n'aurait pas pu imaginer. Des taches d'encre noire commencent à obstruer son champ de vision. Il est sur le point de s'évanouir.

Puis tout est fini. Naslund le lâche et il tombe par terre en cherchant son souffle. Il entend le grincement d'une chaise quand Gros Bonnet se lève.

— Tu nettoieras après, dit-il à son employé.

— Après quoi?

Du coin de l'œil, J.J. aperçoit Naslund qui tire une petite arme de poing de sa ceinture. C'est comme vivre une scène d'un des films de son père. Ça n'a pas l'air réel. Mais c'est vraiment en train de se passer! Ce stupide voyage de bateau va lui coûter la vie! Il va mourir!

Mourir. Le mot résonne dans sa tête comme une cloche qui tinte. C'est inimaginable! Il y a des choses plates qui arrivent — de la malchance, des journées dégueulasses. Mais pas ça!

Il est tellement bouleversé et paniqué qu'il en oublie presque son atout.

— Attendez! crie-t-il dans le canon du fusil. Vous pouvez pas me tuer! Je vaux de l'argent! Beaucoup d'argent! Mon père est Jonathan Lane!

Les deux contrebandiers échangent un regard.

— Ça pourrait être vrai, patron, dit Naslund. Aux nouvelles, ils ont dit que le fils de Lane était sur le bateau.

Le fusil disparaît de la ligne de vision de J.J. Il se permet de respirer à nouveau.

Le débarras devient la cellule de détention de J.J., où il est constamment sous surveillance. Ses gardiens sont deux Asiatiques qui restent avec lui pendant des quarts de quatre heures. Ils ne parlent pas anglais, ou peut-être qu'ils n'ont simplement rien à lui dire parce qu'il n'en tire jamais un mot. Il les surnomme Brute et Brutus.

Brute est le voleur. Il palpe les vêtements de J.J. dans l'espoir de tomber sur quelque chose de valeur et semble vraiment ennuyé quand il ne trouve que les lunettes de designer. Brutus est un amateur de musique. Il a apporté une minuscule radio portative et passe ses quarts appuyé contre la porte à écouter un poste de musique country-western. Entre les chansons de George Strait et Shania Twain, un D.J. enthousiaste déverse un flot de paroles qui ressemblent à du chinois et appelle ses auditeurs *pardner*.

Ses repas sont des paquets provenant de resto-minutes et consistent en des nouilles instantanées au goût bizarre qui sont accompagnées de baguettes en plastique. Il a vomi après sa première portion. Après le régime de l'île — surtout des fruits et du taro — la nourriture semble si riche et lourde qu'elle tombe dans son estomac comme du plomb.

Brute et Brutus ne trouvent rien de plus hilarant que de le regarder essayer de faire entrer la nourriture dans sa bouche. Finalement, Naslund a pitié de lui et lui donne un cours accéléré sur l'art de manier les baguettes.

J.J. est ridiculement content de voir l'Anglais. Toutes ces heures à ne pas savoir ce qui se passe sont encore plus pénibles que le traitement que Naslund a infligé à son bras.

— Est-ce que vous avez parlé à mon père? demande-t-il anxieusement. Il va payer, hein?

— Relaxe, lui répond l'homme. Il faut d'abord qu'on prouve que t'es en vie.

Il pousse un exemplaire du *USA Today* dans les mains de J.J.

— Tiens ça bien haut et regarde le petit oiseau.

Il lève un appareil photo polaroid.

— C'est pour quoi, le journal? demande J.J.

— Cache pas les gros titres, ordonne le contrebandier. Il faut qu'on voie que c'est d'aujourd'hui.

Clic. Un ronronnement produit la photo, qui commence à se développer.

— Vous allez l'envoyer par la poste? Je vais être pris ici pour toujours!

Naslund secoue la tête.

— On a un ami qui est un génie de l'informatique. Quand il envoie un courriel, c'est comme s'il arrivait de nulle part, impossible à retracer.

— Mon père va payer, marmonne J.J. pour lui-même. Il faut qu'il paie. Il va pas me laisser mourir.

Naslund glousse.

— T'es une petite marchandise de grande valeur. Tu pourrais même valoir plus cher que la bombe atomique.

— Vous vendrez jamais la bombe, lâche J.J. sans réfléchir. Vous pourriez pas la sortir de l'île. Elle pèse un million de tonnes!

Naslund soulève ses deux sourcils touffus.

— Alors, t'es au courant, hein? Pas si innocent que tu voudrais nous le laisser croire.

J.J. rougit et ne dit rien.

— Ce qui est drôle avec cette bombe-là, poursuit l'Anglais sur un ton enjoué, c'est que c'est pas la coquille qui a de la valeur, mais ce qu'y a à l'intérieur. Je sais pas comment sortir ça, mais je gage qu'on peut trouver quelqu'un qui connaît ça.

Quand Naslund sort nonchalamment du débarras, J.J. est presque content de retrouver l'univers musical country de Brutus.

CHAPITRE QUINZE

Jour 26, 6 h 40

Luke, debout sur le bord de l'eau, regarde le ciel qui s'éclaircit dans l'aube. Aucun avion, aucun bateau, aucun hélicoptère — pas de J.J. Tout semble fini pour le garçon de la Californie.

Il éprouve du remords pour toutes les fois où J.J. et lui se sont querellés. C'est vrai que J.J. est une tête de linotte. Mais beaucoup du ressentiment de Luke tient de la jalousie. S'il avait eu l'argent et les contacts de Jonathan Lane, Luke aurait été acquitté en offrant ses excuses, et non envoyé à *Changement de cap.*

Il examine le sable à ses pieds. Il n'a aucune raison maintenant d'être jaloux de J.J. Le pauvre gars est probablement mort.

Une légère pression sur son coude le fait sursauter. Charla est à côté de lui, les yeux exorbités :

— Ian prépare les choses.

Luke ne fait pas un geste.

— Je peux pas m'empêcher de croire que si je reste ici plus longtemps, je vais penser à quelque chose qui nous a échappé — quelque chose qui signifierait qu'on a pas besoin de faire ça.

Bientôt, les instruments bouillent dans une casserole, et les pansements sont roulés et prêts.

Ian arrive, blanc comme un drap. Lyssa pleure déjà en silence. Elle est assise en tailleur à côté de son frère inconscient en tenant délicatement sa main flasque entre les siennes. La plage est leur salle d'opération et le soleil leur procure une lampe de travail.

Ian commence par une piqûre de novocaïne vieille de cinquante-six ans. Bien que Will soit inconscient, Ian a entendu dire que le choc opératoire pourrait le réveiller brutalement. Il ne faut surtout pas que ça se produise.

Ils attendent cinq minutes pour que l'anesthésiant fasse effet.

— Est-ce que ça va marcher après tant d'années? demande Lyssa à voix basse.

Ian ne peut pas répondre. Ça confirme le fait qu'ils ne savent pas vraiment ce qu'ils sont en train de faire. Dans toute autre situation, on les arrêterait et on les enfermerait pour avoir tenté de faire ça à une créature vivante. Comment les choses en sont-elles arrivées au point où cette boucherie est la seule option?

Puis c'est le temps.

Charla tient le plateau contenant les instruments stérilisés. Ian veut saisir le scalpel, mais ne réussit pas à faire bouger ses doigts. Sa main se met à trembler. Quand Luke le regarde, il s'aperçoit que c'est tout son corps qui tremble.

Gentiment, il écarte Ian.

— Je vais le faire.

Quand la lame aiguisée perce la peau, Luke est étonné à quel point c'est facile. C'est comme s'il coupait une orange avec le stylet de son cours d'arts plastiques. Il jette un regard inquiet sur Will, s'attendant à ce qu'il se mette à hurler. Mais le patient continue à dormir. Luke fait une coupure nette d'environ trois centimètres de longueur à travers le centre du trou qu'a laissé la balle. Pendant une seconde, il peut voir la mince ligne rouge. Puis le sang suinte et se met à couler.

Il lutte contre un moment d'étourdissement et se réprimande. À quoi est-ce qu'il s'attendait... du lait au chocolat? Bien sûr qu'il y a du sang.

Charla fait de son mieux pour nettoyer l'incision avec un chiffon stérilisé, lui aussi vieux de cinquante-six ans.

Luke remet le scalpel sur le plateau et saisit une paire de pinces chirurgicales. Grimaçant, tant il est concentré, il insère l'instrument dans la fente et se met à explorer pour localiser la balle. Encore plus de sang. Et de la résistance. Comme les pinces ne peuvent pas couper, il est difficile de les déplacer.

La panique envahit Luke. C'est complètement dément! Il ne peut pas faire ça! Ils sont fous d'y avoir même pensé! Il sort l'instrument et le laisse tomber sur le plateau.

— Ça marche pas, réussit-il à dire d'une voix grinçante. Je sens rien!

— On peut pas s'arrêter maintenant! sanglote Lyssa.

— Je lui fais mal! insiste Luke d'une voix rauque. Je sais pas ce que je fais là-dedans! Je pourrais tout aussi bien me servir d'une pioche!

Ian intervient d'une voix tremblante.

— J'ai vu un documentaire une fois où les médecins ont fait une autre coupure en travers de la première. Comme un X.

Et parce que les connaissances d'Ian qui viennent de la télé ont toujours été de bon conseil, Luke prend le scalpel et essaie encore. Cette fois-ci, il y a beaucoup plus de sang, assez pour que son odeur envahisse l'air humide. Charla a un haut-le-cœur, mais continue à essuyer.

Luke sent vite la différence. La deuxième incision a ouvert la plaie un peu plus et les pinces se déplacent facilement dans la peau déchirée. Puis soudain, il la sent — quelque chose de petit et de dur.

— Elle est ici! souffle-t-il.

Il se met à explorer plus délicatement en essayant de manœuvrer les pinces autour du projectile. La sueur dégouline sur son front, ses yeux brûlent. Plus d'une fois, il sent les dents se refermer sur la balle, puis glisser à cause de sa forme peu maniable. Une terrible frustration le saisit, amplifiée par le fait qu'il sait que chaque minute de plus pourrait blesser Will encore davantage.

Il baigne dans le sang maintenant. Il y en a beaucoup trop pour que Charla arrive à tout éponger. Mais Luke n'a pas besoin de voir. Il a la balle, il sait exactement où elle est.

Une vague de nausée l'envahit. *Arrête pas*, se dit-il. *Il faut seulement que tu trouves le bon angle! Un peu de chance et un petit mouvement de poignet, et...*

— Je l'ai!

Les pinces tiennent fermement la balle. Sans même oser respirer, il retire le projectile d'un mouvement vers le haut. C'est lent pour mourir, mais il ne peut pas risquer de l'échapper. Finalement, les pinces ressortent. Et voilà la balle — laide, difforme, sanglante, mais enfin sortie.

Ian ouvre une des vieilles bouteilles provenant du dispensaire et verse de l'alcool dans la plaie. Puis un autre antiseptique de plus de cinquante ans — de l'iode — laisse une grande tache orange vif sur la cuisse de Will.

Les mains de Luke, qui sont maintenant étonnamment stables, ferment les contours de l'incision et appliquent une pression. Un morceau de médecine moderne vient en dernier; une bandelette adhésive provenant de la trousse de premiers soins du canot de sauvetage. Il colle comme une deuxième peau en maintenant la chair coupée ensemble.

Finalement, Luke se laisse aller en arrière. Ils ont fait tout ce qui était en leur pouvoir; le reste dépend de Will.

C'est seulement une fois debout que Luke remarque combien sa mâchoire lui fait mal, tant il a serré les dents. Sa tête aussi lui fait mal. Il fait trois pas chancelants et s'évanouit, face contre terre.

CHAPITRE SEIZE

Jour 27, 14 h 40

J.J. est assis sur le plancher du débarras, appuyé sur un genou. Ses pensées voyagent à des centaines de kilomètres de distance et retournent à l'île. C'est une chose stupide, mais il se surprend à essayer d'évoquer les cinq autres rescapés, comme si, en se concentrant, il pouvait se raccorder à leur fréquence et se mettre à jour. Qu'est-ce qu'ils font? Est-ce que Will va bien? Qu'est-ce qu'ils s'imaginent qui lui est arrivé?

Ça, c'est pas difficile, se dit-il. Il n'a pas envoyé les secours; alors, ils doivent penser qu'il est mort. D'ailleurs, Haggerty et lui en avaient parlé; les secours arriveront rapidement ou pas du tout.

Lâchez pas, essaie-t-il de les encourager, malgré toute la distance qui les sépare. *Aussitôt que papa va cracher la rançon, je vais vous envoyer la cavalerie.*

Quel désastre que cette mission! Dans son esprit, il s'est toujours imaginé soit libre ou mort. Pas enfermé dans une pièce vide pendant des jours, avec les inquiétudes et l'ennui qui se mélangent en lui pour former un cocktail mortel de... quoi? Il ne sait pas, mais ça le rend fou.

Surtout avec cette musique nasillarde qui arrête jamais!

Il regarde Brutus adossé mollement à la porte, qui fume comme une cheminée.

— Est-ce que vous pourriez changer de poste? demande-t-il aussi poliment qu'il peut.

Le gardien le regarde. Son visage est tellement inexpressif que J.J. ne peut pas dire s'il a entendu, et encore moins compris.

J.J. se lève.

— La radio. Qu'est-ce que vous diriez de changer de musique?

Il montre du doigt le petit poste portatif et se bouche les oreilles. Il a réussi à capter l'attention de Brutus, mais l'homme ne comprend toujours pas.

— Bon... je vais le faire moi-même, dit J.J. en faisant un pas en avant.

C'est une grave erreur.

Brutus se lève d'un bond, sort son fusil et le pointe en direction de J.J. en hurlant en chinois. J.J. lève les bras.

— Attendez! Énervez-vous pas! C'est juste la musique, O.K.? La musique!

La porte s'ouvre brusquement et Naslund fait irruption. L'Anglais s'adresse au gardien en criant en deux langues, puis finit par éclater de rire. Il se tourne vers J.J.

— T'aimes pas le concert, hein? Je te comprends.

— Je voulais juste changer de poste, marmonne J.J. avec ressentiment.

— C'est pas le temps de s'occuper de ça maintenant, lance Naslund d'un ton sec.

Il attrape J.J. par le bras.

— On va avoir une petite conversation avec ton père.

Le visage de J.J. s'éclaire.

— Il est ici? Il a payé?

— Au téléphone, corrige le contrebandier. Il veut entendre la voix de son petit garçon avant de verser la rançon.

La déception est grande; le visage de J.J. s'allonge.

— O.K., où est le téléphone?

Naslund le fait sortir en le bousculant et l'emmène dans le hangar où une Mercedes attend.

— Ton père a probablement la moitié du FBI qui essaie de retracer cet appel. On va aller quelque part où y'a un téléphone spécial.

Ils attachent un sac de toile sur la tête de J.J. et le poussent sur le plancher, à l'arrière de la voiture.

J.J. devine qu'au début, ils roulent surtout sur une autoroute, puis la Mercedes entre dans ce qui doit être une ville. Les arrêts sont fréquents et il peut entendre des klaxons et des moteurs de motocyclette tout autour.

Il entend la voix de Gros Bonnet :

— Y'a un policier à cheval. Assis le jeune.

On lui arrache le sac de la tête, le relève et le coince sur la banquette arrière entre Naslund et Brutus. Ils sont au cœur d'une ville asiatique animée : Hong Kong? Shanghai? Des enseignes au néon avec des caractères chinois clignotent partout. Des centaines de scooters se faufilent dans la mer de véhicules. Juste en avant, une police montée dirige la circulation. Aussitôt que les yeux de J.J. croisent ceux du policier, il sent la gueule d'un revolver contre son côté.

— Penses-y même pas, murmure Naslund.

J.J. regarde droit devant lui, son sang se glace dans ses veines. Ils passent tellement près de l'agent qu'il serait possible de tendre la main et de toucher sa botte. Aussitôt que le policier est hors de vue, on lui remet la cagoule, et il se retrouve encore dans le fond de la voiture.

Il y a beaucoup de marches, quarante-deux, compte J.J. Chaque palier semble dégager une odeur de cuisine distincte. Les semaines passées sur l'île l'ont habitué à la chaleur, mais ça, c'est carrément suffocant.

Quand on lui enlève finalement le sac de toile, il est dans un petit appartement miteux, rempli au maximum d'équipement informatique, de piles de livres et de manuels.

J.J. cherche le téléphone des yeux, mais Naslund le fait asseoir devant un ordinateur qui a un quelconque programme pour faire des appels interurbains par Internet.

Un jeune Chinois, dont les cheveux descendent jusqu'aux épaules, martèle le clavier d'une main experte. Il se tourne vers Gros Bonnet :

— Ça va être impossible de le retracer pendant deux minutes.

Ils entendent la sonnerie une fois, puis quelqu'un décroche rapidement :

— Jonathan Lane.

J.J. doit faire des efforts pour ne pas se mettre à pleurer comme un enfant de deux ans. Depuis la dernière fois qu'il a parlé à son père, il y a six semaines, le monde a basculé. Il a été naufragé, coincé sur une île déserte et menacé avec un revolver. Et il y a cette voix qui vient d'une vie qui existait avant tout ça. C'est à la fois un réconfort et un tourment.

— Allô, papa.

— J.J., tu vas bien? Ils t'ont pas fait mal?

— Je vais bien, dit-il d'une voix tremblante. Non, ça va pas. Il faut que tu me sortes d'ici, papa!

— On s'en occupe, promet son père. Bouge pas et reste calme.

— Vite! insiste J.J., déchiré parce qu'il ne peut pas parler à son père des rescapés toujours sur l'île. Il faut que tu viennes vite! C'est la chose la plus importante!

La voix de son père s'étrangle, tant il est ému.

— Je sais que tu as peur, J.J. Mais pour moi, c'est une bonne nouvelle! Il y a trois jours, je pensais que tu étais mort! Te parler, entendre ta voix... tu sais pas ce que ça représente pour moi...

J.J. est sidéré. Son père pleure. Jonathan Lane ne pleure jamais, pas même dans les films. Il a averti son agent de ne jamais considérer de rôle « pleurnichard ».

Gros Bonnet saisit le micro.

— Tout ça est bien émouvant, mais on a des affaires à régler. Je suppose que vous avez l'argent?

— C'est prêt.

— Bravo. Faites le plein de votre avion et laissez-le sur la piste. Quand on sera prêts, on vous dira où aller.

Il fait le geste de se trancher la gorge. L'homme aux longs cheveux met fin à la communication.

Pendant le voyage les ramenant au hangar, Naslund laisse J.J. s'asseoir et regarder par la fenêtre. Il lui offre même une petite visite guidée. On est à Taipei; ici, c'est le centre-ville; la Grande place est sur cette colline; le brouillard est de la pollution.

Pollution de l'air. Smog. J.J. n'a jamais pensé que ça pourrait lui manquer. Mais après six longues semaines, c'est la première fois que quelque chose lui rappelle vaguement la ville qu'il aime tant : Los Angeles. Il ne peut pas s'empêcher d'apprécier l'activité et l'atmosphère d'une ville animée et bondée.

Il se demande, comme ça, sans trop s'y attarder, ce qui a bien pu changer l'attitude de ses ravisseurs. Ils sont de bonne humeur parce qu'ils savent qu'une bonne journée de paie s'en vient.

Ça a du sens. À l'aller, ils ne pouvaient pas le laisser regarder tout autour, de peur qu'il laisse échapper quelque chose en parlant à son père. Mais maintenant que l'appel a été fait...

Il fronce les sourcils. Qu'est-ce qui l'empêchera de dénoncer les contrebandiers quand il sera en sécurité en Californie? Il sait où ils sont, il connaît leur piste d'atterrissage et leur île secrète. Il connaît leurs visages et pourrait témoigner contre eux, et probablement les faire mettre en prison pour un millier d'années.

Comment peuvent-ils prendre un tel risque?

Quand la réponse lui vient, il se rend compte qu'une partie de lui-même l'a toujours sue : il ne reverra jamais la Californie, ni son père. Quand les contrebandiers auront mis la main sur l'argent de la rançon, ils vont le tuer.

CHAPITRE DIX-SEPT

Jour 28, 11 h 15

Will se réveille dans la douleur et la confusion. Sa jambe est en feu.

Qu'est-ce qui s'est passé? C'est vrai que ça faisait mal avant, mais pas comme ça!

Il s'assoit; l'effort le fait presque perdre connaissance. Ça dégouline sur ses joues. Il pleure! C'est sûr qu'ils ont tous pleuré au cours des dernières semaines — de terreur, de colère, de désespoir. Il n'y a que les bébés qui pleurent de douleur. Mais ça fait tellement mal!

Il baisse les yeux. Toute une jambe de sa tenue militaire est coupée laissant à découvert une cuisse qui a l'air d'avoir été percutée par un boulet de canon. Un pansement carré, qui craquelle à cause du sang séché, recouvre la blessure au centre d'un cercle d'iode orange vif. Tout autour, c'est blanc et bleu, une ecchymose qui s'étend du genou à la hanche.

— Lyssa?

Sa voix est tout juste un grincement.

Aucune réponse.

— Lyssa!

Il tente de se traîner jusqu'au rabat du pare-soleil. Chaque déplacement d'un centimètre fait exploser sa jambe de douleur. Il doit mordre sa manche pour ne pas hurler. *Arrête pas, t'es capable.* Avec un grognement étouffé, il avance en rampant et jette un regard interrogateur à l'extérieur. Une scène ahurissante s'offre à ses yeux. La plage grouille d'activité. Neuf alambics fonctionnent côte à côte, et les rescapés font bouillir de l'eau de mer pour en extraire le sel. Il y a d'énormes piles de fruits un peu partout — noix de coco, bananes, mangoustans, jacques et durians, attendant... quoi? Les rescapés ne pourront jamais manger tout ça.

En parlant de manger, est-ce qu'il a faim? Il pense bien, mais c'est à peine s'il peut sentir son estomac, tant la douleur dans sa cuisse est violente.

Ian et Luke traversent son champ de vision en transportant quelque chose d'étrange. On dirait une sorte de couverture faite à partir de vêtements d'armée cousus ensemble. Et elle est tendue entre les deux avirons du canot de sauvetage.

Combien de temps est-ce que j'ai dormi? Qu'est-ce que j'ai manqué?

Et soudain, il comprend. Ça ressemble à... une voile!

— Lyssa! Lyss!

Cette fois, les autres arrivent en courant. Et quand ils s'aperçoivent qu'il est réveillé et alerte, la célébration est bruyante. Il ne réussit pas à placer un mot. Quand il ouvre la bouche pour demander ce qui se passe, Lyssa y plonge un thermomètre. C'est alors que

Luke lui explique qu'il a été inconscient la majeure partie de la semaine et que, durant cette période, ils ont retiré la balle de sa jambe en pratiquant une opération chirurgicale.

— Sans me le demander? jette Will en crachant le thermomètre loin à l'extérieur du canot de sauvetage.

Lyssa le récupère et en enlève le sable.

— Et ça a marché, Will. Ta température revient à la normale! On a cru qu'on allait te tuer!

— Je me sens comme si c'était fait, souffle Will. Pour ce qui est de ma jambe, en tout cas. Pourquoi est-ce qu'il a fallu que vous fassiez ça?

— C'est mieux comme ça, insiste Ian. Je sais que ça fait mal, mais l'infection aurait pu être fatale.

Will acquiesce lentement, se forçant à réfléchir malgré la douleur atroce.

— C'est quoi... commence-t-il en faisant un effort pour montrer la plage du doigt, un marché aux fruits? Et la chose entre les avirons?

Luke prend une profonde inspiration.

— J.J. s'est embarqué clandestinement dans l'avion des contrebandiers, dit-il sur un ton grave. Depuis, on a pas eu de ses nouvelles.

C'est la seule pensée qui pourrait faire oublier à Will la douleur à sa jambe.

— Oh, mon Dieu! Ils l'ont tué!

Luke hoche la tête d'un air mécontent.

— C'est ce qu'on pense. Et on croit aussi qu'ils l'ont probablement interrogé avant de le tuer.

— Ça veut donc dire qu'ils vont nous rechercher, poursuit Lyssa. Et cette fois, on peut pas se cacher nulle part. Il faut qu'on parte d'ici.

— Mais pas sur la mer! proteste Will en haletant, tant il est difficile pour lui de parler. Vous avez oublié? On a failli mourir là-bas!

— Mais cette fois, on va être préparés, maintient Charla. On a le canot de sauvetage et on fait des provisions de nourriture et d'eau.

— Voyons, grommelle Will. On pourra jamais apporter assez d'eau pour traverser tout l'océan!

— Non, admet Ian, mais peut-être que le vent va nous amener sur une route maritime ou à un endroit que les avions survolent. On pourra nous repérer. C'est très risqué, mais ça pourrait être notre seule chance.

— On peut pas juste attendre ici d'être massacrés, ajoute Lyssa.

Tourmenté et en proie au désespoir, Will reste étendu à fixer des yeux le pare-soleil. Non, ils ne devraient pas rester là à attendre qu'on vienne les assassiner. Mais est-ce que prendre le large — et probablement se tuer — est la seule solution?

CHAPITRE DIX-HUIT

Jour 28, 11 h 45

La musique country est plus forte que jamais et Brutus est dans une humeur particulièrement massacrante. Ce matin-là, l'autre garde, Brute, ne s'est pas présenté au travail; ce qui veut dire que Brutus doit faire le geôlier pendant trois quarts.

J.J. est couché sur le ventre, à même le dur plancher de béton, le menton sur ses bras repliés. Il n'a pas mis les pieds à l'extérieur du débarras depuis sa visite guidée de Taipei, il y a un jour et demi. Il ne se rappelle pas la dernière fois où il a dormi.

Ils vont te tuer. La pensée est un méchant réveil, une alarme stridente, diffusée directement dans son cerveau toutes les fois qu'il est sur le point de s'endormir. Si son père paie, les contrebandiers vont le tuer aussitôt qu'ils auront l'argent. Mais même si son père tient bon, ils vont éventuellement comprendre et lui donner une raclée de toute façon.

C'est mieux de rester éveillé, se dit-il. *Gaspille pas le peu de temps qui te reste à dormir*.

Même après le naufrage et toutes ces terribles semaines sur l'île, c'est la première fois que J.J. pense sérieusement à comment on doit se sentir quand on est mort. L'obscurité. Le néant. Mais seulement pour lui.

C'est ce qui est particulièrement difficile à accepter. Le reste du monde va continuer ses activités. En Californie, il y aura la circulation, le surf et les réceptions d'Hollywood qui durent toute la nuit. Sur l'île, les autres rescapés vont continuer à penser aux secours. Même cette stupide musique va probablement continuer.

— Howdy, pardners! s'exclame avec enthousiasme le D.J.

Un déferlement de mots en chinois se termine avec *Hoedown*, le titre de la prochaine pièce.

Mon dernier souvenir sera celui de Boxcar Willy, se dit Will.

Il se met debout :

— Je vais changer le poste.

Brutus le regarde. Son visage exprime un ennui total.

J.J. se dirige vers le poste de radio.

— Sans blague. Il doit bien y avoir de la bonne musique par ici.

Le gardien aboie quelque chose dans sa direction. Il pose la main sur le revolver à sa ceinture.

J.J. avale avec difficulté et continue à marcher. Un plan se forme dans sa tête.

Il a pas tiré la dernière fois...

Maintenant, le revolver est sorti. L'homme lui lance un flot de paroles en chinois, qui se mélange avec le sermon du D.J.; on dirait une chaude dispute.

En autant qu'il croit que je suis juste allergique à la musique country.

— Je change le poste, compris? Je change le poste.

J.J. tend la main pour atteindre le bouton. En hurlant, Brutus fait un pas menaçant en avant. J.J. saisit la radio et la lance de toutes ses forces.

Paf! La radio heurte la main de Brutus. Avec un cri de douleur, le gardien laisse tomber le revolver, qui traverse la pièce en ricochant sur le plancher de ciment.

J.J. plonge pour le rattraper. Il sait que la vitesse est son seul avantage dans un combat contre un adulte. Si jamais Brutus l'engage dans une partie de lutte, il est perdu. Ses yeux sont rivés sur le revolver... à quelques centimètres seulement! Il tend la main pour le saisir, mais Brutus se rue pour l'en empêcher.

Vlan! Il s'écrase au sol entre J.J. et l'arme. On entend un craquement, un son à faire vomir, au moment où la tête du gardien frappe le béton.

J.J. se lève d'un bond, mais Brutus est immobile. Un filet de sang coule de son oreille et se répand sur le sol.

J.J. ramasse l'arme et l'insère dans la ceinture de son pantalon. Il est libre. Mais comment va-t-il faire pour sortir du hangar?

Il ouvre la porte doucement, de deux centimètres environ, et jette un coup d'œil par l'ouverture. Le bâtiment est désert.

C'est ma chance.

Il regarde de tous côtés. L'avion est stationné et la porte du grand hangar est fermée. Mais il n'y a aucun signe de ses ravisseurs et il n'entend aucune voix. Tout est calme.

Il fait trois pas en hésitant, puis se met à courir. Où est la commande qui ouvre la porte du hangar? Elle est probablement facile à repérer, mais dans son agitation, il ne peut pas la trouver. Puis il remarque une petite sortie de secours au coin du bâtiment. Il s'y précipite.

Verrouillée!

Il se bat avec la poignée, la secoue de toutes ses forces. Une panique folle s'empare de lui. De la colère aussi. Il est si près du but! Comment le destin peut-il lui faire ça?

Le revolverl. Une série d'images lui apparaissent, tout droit sorties d'au moins une douzaine des films de son père. Le policier ou le détective ou l'agent secret tire sur le verrou pour s'évader. Mais ça, c'est dans les films. Est-ce que ça peut marcher dans la vraie vie?

Y'a juste une façon de le savoir!

D'une main tremblante, il tient le revolver à environ quinze centimètres de la poignée et vise soigneusement. Il n'a jamais tiré de sa vie. Il est stupéfait de constater à quel point c'est difficile de déclencher la détente. Mais quand elle bouge, c'est comme un toboggan — l'accélération, l'inévitable.

Trois sons se succèdent avec une telle rapidité que J.J. n'en entend qu'un : le craquement du revolver, le violent grincement du métal qui vole en éclats et le hurlement de douleur. Le recul a arraché le pistolet de la main de J.J. L'arme tombe à plus d'un mètre derrière lui, en résonnant sur le sol. Puis la porte brisée s'ouvre lentement pour laisser paraître Naslund et Gros Bonnet. L'Anglais est plié en deux; il tient son côté où la balle l'a atteint. Sa chemise est tachée de sang.

— Toi! s'exclame Gros Bonnet.

Naslund s'avance, l'air menaçant, mais J.J. se rue à l'extérieur et le dépasse, convaincu, au plus profond de lui-même, que le prix de cette course à pied sera sa propre vie. L'Anglais le poursuit jusqu'à ce que la douleur à son flanc devienne insupportable.

— L'auto! lance-t-il d'une voix rauque.

À ces mots, c'est comme si de l'eau glacée se mettait à couler dans les veines de J.J. Il court sur la piste, le bruit de ses pas résonne dans sa tête comme le battement de son cœur. *Sauve-toi!* se dit-il. C'est un instant d'une telle clarté que ça en devient presque grisant : vitesse égale évasion... cette simple loi gouverne tout son univers. Si ce n'était de la terreur qui le tient, il se mettrait à crier et à applaudir pour s'encourager.

Il quitte la piste pour emprunter un chemin de terre. Soudain, son champ de vision est envahi par les phares d'une voiture qui arrive à vive allure!

J.J. n'a pas le temps de l'éviter. Il saute sur le capot et roule. Une fraction de seconde avant que le pare-brise lui rentre dedans, il tombe de la voiture en culbutant et atterrit dans les broussailles en se recroquevillant sur lui-même.

Grincement de pneus.

— Pas un geste! Les mains en l'air!

J.J. ne répond pas à l'ordre. Il ne peut plus bouger. Il s'arme plutôt de courage pour faire face à l'impact des balles qui vont mettre fin à cette course folle.

— Tirez pas! crie une autre voix. C'est lui! Le fils de Lane!

C'est alors que J.J. remarque le véhicule qui l'a presque rayé de la carte. C'est une voiture de police.

CHAPITRE DIX-NEUF

Jour 28, 8 h 50

— Ramez! beugle Luke.

De l'eau jusqu'à la taille, Charla et lui pataugent dans la zone de brisance et poussent le canot de sauvetage chargé vers le large. À bord, Ian et Lyssa tirent sur les avirons pour propulser l'embarcation dans les vagues qui déferlent.

La marée descend, mais la mer est plus agitée qu'à l'habitude. Chaque fois qu'ils réussissent à s'éloigner, une vague puissante saisit le canot et l'envoie donner de la bande en direction de l'île.

Les cris de douleur de Will résonnent du canot. Dans une pareille agitation, il est impossible de garder sa jambe blessée immobilisée.

— On lui fait mal! crie Lyssa, qu'on peut à peine entendre dans le battement des brisants. On devrait attendre que la mer soit plus calme!

— Non! s'exclame Ian. Il faut profiter de la marée!

Une vague déferlante frappe Luke de plein fouet. Il refait surface en crachotant. Il serait plus qu'heureux de remettre leur départ et d'attendre que les conditions s'améliorent. Mais les contrebandiers pourraient déjà être en route vers l'île. Attendre un jour de plus pourrait leur être fatal.

— Je déteste cet endroit! rage Charla. On a failli se tuer pour arriver jusqu'ici et s'en aller va nous achever pour de bon!

Soudain, le canot est empoigné par une lame monstrueuse. Pendant quelques secondes totalement angoissantes, l'embarcation se balance sur la crête, menaçant de plonger et d'écraser Luke. Il est figé, incapable de bouger, et regarde le visage terrifié de Will qui le fixe par l'ouverture du pare-soleil.

J'ai échappé à des dangers terribles, se dit Luke avec dépit, *et je vais me noyer à cause de mon propre canot de sauvetage!*

Ses yeux cherchent la mousse révélatrice d'une vague sur le point de s'écraser. Elle ne vient jamais. Le canot ballotte plutôt au sommet de la lame et disparaît de l'autre côté. La montagne d'eau mobile roule pardessus Luke et Charla, les entraînant sous l'eau.

Luke se démène, il bat des jambes pour retrouver la lumière. Quand il remonte à la surface, en suffoquant et en crachant, il regarde désespérément tout autour, à la recherche du canot de sauvetage.

Charla pointe du doigt :

— Par là!

Luke scrute la mer. En quelques secondes à peine, le canot s'est éloigné d'une dizaine de mètres. Maintenant libéré des vagues approchant du littoral, il est tiré vers le large par un implacable courant sous-marin.

Les rameurs, Lyssa et Ian, pagaient comme des fous pour ralentir la poussée. Leurs efforts n'ont aucun effet sur la résistance de l'océan.

— Allons-y à la nage! dit Luke en se lançant dans les vagues.

Charla décolle. Elle fend les flots comme un yacht de croisière, ses bras puissants fouettant l'eau. Elle dépasse Luke et fonce sur l'embarcation.

Nageant toujours, il la voit se hisser à bord. C'est alors seulement qu'il remarque que le bateau est encore très loin, et à quel point ses bras et ses jambes sont fatigués et lourds. Un sentiment d'isolement accablant s'empare de lui. S'il ne réussit pas à atteindre le canot, il devra regagner la rive à la nage. Il sera alors abandonné, seul.

Jamais! se promet-il. *Je retourne pas là-bas! Si je peux pas rejoindre les autres, je vais me noyer ici!*

Cette pensée a l'effet d'une fusée de lancement. Ses bras s'agitent comme des hélices et ses jambes produisent la force nécessaire pour continuer à battre. Il entend à peine les cris des autres, à travers le martèlement de son propre cœur dans ses oreilles. Il ferme les yeux et nage en aveugle. S'il regarde et aperçoit le canot de sauvetage qui s'éloigne, ça voudra dire qu'il n'y a pas d'espoir.

Plouf!

Quelque chose heurte l'eau, à quelques centimètres de son visage. Il se soulève et ses bras frappent en plein dessus — la bouée de sauvetage du canot. Il a à peine l'énergie pour s'y cramponner.

Charla et Lyssa tirent sur la corde pour le rapprocher du canot. Même accroché au bord de l'embarcation, il est trop épuisé pour grimper à bord. Il se laisse plutôt remorquer pendant vingt minutes avant de retrouver la force d'accepter l'aide de ses amis et d'embarquer.

Ce qui vient ensuite a été minutieusement préparé à l'avance. Les avirons sont attachés aux dames à la verticale, puis on fixe la voile de fortune entre les deux. Ensuite, le radeau de bois plat qui a servi de lit d'hôpital à Will est sorti de l'abri et descendu sur le côté du canot. Il contient quarante-six coques de noix de coco bien attachées sous une couverture provenant de la base militaire. Il ballotte sur l'eau, à la remorque derrière le canot de sauvetage.

Complètement exténué, Luke trouve un coin libre et s'affale. Même avec la pile de noix de coco remorquée à l'arrière, il y a plus de nourriture que de personnes à bord. Coincé entre un régime de mini-bananes et les sacs de graines de durian rôties, il s'endort profondément.

Six heures se sont écoulées.

Pour la première fois, l'île est complètement hors de vue et les rescapés se retrouvent, une fois de plus, à la merci de la mer.

— Comment est-ce que j'ai pu oublier combien je déteste ballotter sur l'océan? marmonne Charla. J'aurais dû être assez intelligente pour rester sur la terre ferme et tenter ma chance avec les contrebandiers.

Luke observe Lyssa. Elle a souffert de terribles nausées à bord du *Conquérant*. Maintenant, son visage a la pâleur du gruau, un signe avant-coureur.

— Hé! fait-il avec gentillesse. Y'a personne qui va se moquer de toi si tu dois te pencher par-dessus bord.

— Fais juste attention de pas vomir sur les noix de coco, ajoute Will mollement.

Elle lui lance un regard méprisant.

— Tu peux bien parler, toi qui as saigné sur tout le monde ici.

— Lyss...

Mais la nausée de sa sœur bouillonne à l'intérieur. Avec un gargouillis étouffé, elle se dirige vers le rabat. Elle l'ouvre grand, puis recule et se laisse tomber en criant de terreur. Luke la saisit par les épaules.

— Quoi? Quoi?

Le canot fait une embardée et plonge sur le côté. Un moment plus tard, la tête et les épaules d'un homme en combinaison de plongée à manches courtes et à capuchon apparaissent brusquement dans l'ouverture.

L'effet est si stupéfiant que les rescapés se changent en pierre.

Luke reste bouche bée. Mais son incrédulité se transforme brusquement en terreur, au moment où son cerveau passe de l'ahurissement à l'explication. Ça y est : les contrebandiers les ont retrouvés! Cet homme-grenouille est ici pour les tuer!

Il tâtonne désespérément pour trouver une arme et met la main sur un gros régime de bananes. Il recule pour prendre un élan meurtrier.

— Marines des États-Unis! aboie une voix autoritaire derrière les lunettes de plongée. Jette ces bananes!

L'homme laisse échapper un rire tonitruant dans le silence stupéfié.

— J'aurais jamais cru qu'un jour, je dirais ça.

Puis il parle dans un minuscule microphone, qui sort de son casque en caoutchouc :

— Nageur appelle base. Je les ai trouvés.

Il tire de sa ceinture un couteau de chasse de vingt centimètres, à la lame très tranchante. D'un geste puissant, il entaille le pare-soleil d'un bout à l'autre. Une lumière aveuglante se répand alors à l'intérieur, exposant le canot de sauvetage à un ciel d'un bleu étincelant.

Un grondement au-dessus fait lever cinq paires d'yeux éblouis. Un hélicoptère massif se met en position. Charla est la première à prendre la parole. Sa voix est tellement stridente et sceptique qu'elle est à peine reconnaissable :

— On vient... nous sauver?

À l'instant où le mot sort de sa bouche, elle se met à pleurer. Chacun à leur tour, Lyssa, Ian, Will et Luke succombent à la violence de l'émotion. Vingt-huit jours abandonnés. Une semaine à la dérive avant ça. Le souffle coupé par le danger et la peur. L'omniprésence de la mort.

Et maintenant — juste comme ça — tout est fini. Ça semble presque irréel.

L'hélicoptère descend un câble au nageur.

— Prenez mon frère en premier! le supplie Lyssa. Et faites attention à sa jambe!

Le marine attache les courroies autour de Will. Le garçon tourne son visage strié de larmes vers les autres rescapés :

— Vous avez réussi. Vous m'avez sauvé.

Puis il disparaît, monté au treuil dans l'hélicoptère, où des mains attendent pour le hisser à bord.

Le cerveau de Luke est embrouillé tandis qu'il regarde les autres monter vers la sécurité. *Je m'en vais à la maison.* Il essaie de retourner l'idée dans sa tête. Ça fait tellement longtemps qu'il ne pense plus vraiment à chez lui. Il a même de la difficulté à imaginer sa chambre ou le visage de ses parents.

— À ton tour, lance le nageur. T'es le dernier client.

Luke se laisse attacher au harnais. C'est presque trop facile. Comme si on trichait. Cinq semaines de terreur et de lutte et puis, un hélicoptère arrive — une sorte de laissez-passer pour la liberté. Le chagrin lui serre la gorge. Si seulement ils pouvaient tous être ici pour vivre ce moment.

La remontée vers l'hélicoptère est plus rapide qu'il ne s'y attendait. Deux marines le tirent à bord et lui arrachent son harnais. Il cherche les autres des yeux, mais n'aperçoit qu'un visage — un sourire d'un million de dollars derrière des lunettes de soleil de designer faites sur mesure.

— J'étais revenu te chercher, Haggerty, dit J.J., mais t'étais pas là.

Luke le saisit par le collet :

— Les contrebandiers?

— En prison, lance J.J., le visage rayonnant. Et ils sont déjà à la recherche de Radford.

Éberlué, Luke secoue la tête.

— Je peux pas croire que t'as réussi.

— Ben... j'ai eu un peu d'aide.

— De qui? demande Luke en fronçant les sourcils.

Pour toute réponse, J.J. enlève ses lunettes de soleil et les agite sous le nez de Luke. L'inscription sur la branche brille au soleil : JONATHAN LANE, LA COQUELUCHE DE LONDRES — P.S.

Mais Luke s'impatiente.

— Ouais, ouais. T'as des super lunettes de soleil. Comment t'as fait pour te sauver des contrebandiers?

— Le gars qui me gardait a essayé de vendre mes lunettes, explique J.J., et le prêteur sur gages voulait une preuve que l'inscription était authentique. Il a contacté le bureau de mon père et ils ont appelé le FBI.

— Mais comment est-ce qu'ils ont fait pour te trouver?

— La police a réussi à faire parler mon gardien, dit J.J. en souriant à pleines dents. C'est les lunettes, Haggerty, je te l'avais dit qu'elles étaient spéciales.

Luke regarde fixement les lunettes uniques au monde. Il les a toujours détestées; elles sont le symbole ultime de l'attitude suffisante, hollywoodienne de J.J. Jamais il n'aurait pu s'imaginer qu'elles leur sauveraient la vie à tous.

L'équipage de l'hélicoptère hisse le nageur par la porte et scelle le panneau coulissant. L'hélicoptère vire vers le sud-ouest, en direction de sa base.

— Guam dans quarante minutes, annonce le pilote aux rescapés.

— Vous voulez dire qu'on retourne pas sur l'île? demande Luke avec anxiété.

Le nageur pose une main sur son bras.

— Si t'as laissé quelque chose là-bas, je suis certain que tes parents vont t'en acheter un autre.

— C'est pas ce qu'*on* a laissé, insiste Luke, c'est ce que *vous* avez laissé.

— Nous?

Le pilote se retourne.

— On y est même pas allés.

— Pas dernièrement, l'informe Luke. En 1945... vous avez oublié votre bombe atomique!

3 SEPTEMBRE 1945

1805 h

Le soleil tropical se couche sur une île où l'impatience est à son comble. L'avion de transport est chargé. Les hommes enfoncent leurs mains dans leurs poches et essaient de ne pas trop s'impatienter. La guerre est finie. Ils auraient dû partir il y a des heures. Qu'est-ce qui les retient ici?

Toujours suspendue à la grue défectueuse, Junior, la troisième bombe atomique, a été ouverte comme une jarre à biscuits de cinq tonnes.

Le sergent Holliday et le caporal Connerly regardent le technicien enlever les deux morceaux d'uranium radioactif qui procuraient à Junior son combustible nucléaire.

Le détonateur de l'arme la plus destructrice que l'humanité ait jamais conçue est incroyablement simple. Au moment de la détonation, la plus petite balle d'uranium est lancée dans le morceau plus gros qui a l'air d'un bol, ce qui déclenche une explosion nucléaire assez puissante pour détruire toute une ville. Ça semble à peine plus difficile techniquement que de faire un feu en frottant deux bâtons ensemble.

Les morceaux d'uranium sont placés dans des contenants distincts doublés de plomb. Ensuite, le détona-

teur est enlevé — un canon de fusil ordinaire attaché à un altimètre. Les composants sont déposés à l'arrière d'un camion pour être emportés vers la piste d'atterrissage, où ils seront chargés dans l'avion.

Holliday fixe des yeux le technicien qui monte sur la plateforme du camion pour accompagner le matériel nucléaire.

— Attendez une minute! Où est-ce que vous allez? Qu'est-ce qu'on fait avec la bombe?

L'homme tapote les contenants doublés de plomb.

— La vraie bombe est ici, sergent. Ça... fait-il en montrant l'enveloppe de Junior, c'est un presse-papiers très cher.

Et le camion s'en va.

Holliday est embêté :

— Qu'est-ce qu'on est supposés faire avec ça?

Connerly embrasse du regard le petit attroupement d'hommes de troupe qui s'est formé autour de la fosse.

— Est-ce que quelqu'un a un bout de papier?

ÉPILOGUE

Quand les six jeunes personnes entrent dans le laboratoire, elles portent des combinaisons identiques des forces américaines, ce qui semble tout à fait de circonstance, parce que les médecins militaires n'ont jamais vu auparavant un groupe aussi uni.

Les jeunes ont demandé des chambres d'hôpital adjacentes, mangent tous leurs repas ensemble et regardent le canal Découverte dans la salle de détente à toute heure de la nuit. Ils semblent ne jamais se lasser d'être ensemble et de bavarder.

Plus tard en après-midi, ils vont prendre l'avion pour Hawaï où des parents attendent leurs enfants qui reviennent de l'au-delà. Mais ce matin, ils sont les invités du général le plus haut gradé de Guam. Il a déclaré que ces jeunes, plus que quiconque, ont le droit d'être présents pour cette procédure.

Les six s'assoient dans leurs fauteuils d'invités d'honneur dans la première rangée. Ils ont l'air assez en forme, bien qu'ils soient amaigris et brûlés par le soleil. L'un d'entre eux a des béquilles. Leurs yeux sont rivés sur le plancher de béton, où repose la bombe atomique dont le long corps occupe les trois quarts du laboratoire.

L'opération commence. Les physiciens et les techniciens taillent le métal noir et enlèvent un gros morceau du côté arrondi. Le physicien en chef fait signe aux six. Ils s'approchent avec précaution. C'est après tout une bombe atomique, la plus terrible force de tous les temps qui a été créée par l'homme. Elle leur a fait peur quand ils sont tombés dessus dans leur île; elle leur fait peur maintenant.

Le compartiment est vide, sauf pour un petit bout de papier jauni qui a été arraché d'un calepin. Dessus, à l'encre délavée, est écrit un seul mot :

BOUM!

Le flash de la caméra du reporter capture le moment; six rescapés aux prises avec un fou rire qui ne se voit que chez ceux qui n'ont pas vraiment ri depuis très longtemps.

La photo apparaît en première page de tous les journaux du monde.

Le 12 septembre 2001, Calvin Radford, ancien second du *Conquérant*, est arrêté dans un bar riverain à Macao. Il doit répondre à six accusations de tentative de meurtre.

* * *

Le 23 octobre 2001, la Commission géographique internationale fait un ajout à sa carte du Pacifique : un minuscule récif de corail par 17° 31′ de latitude nord et 157° 42′ de longitude est. On l'appelle l'île Junior.

Le 28 décembre 2001, les six rescapés tiennent leur première réunion à la maison de la vedette de cinéma Jonathan Lane, à Los Angeles.

Ils ne vont pas à la plage.